CASTING

CHARLOTTE

Chloé Varin

CASTING

CHARLOTTE

LES ÉDITIONS DE LA BAGNOLE

D'après une idée originale de Chloé Varin.

Catalogage avant publication de Bibliothèque et Archives nationales du Québec et de Bibliothèque et Archives Canada

Varin, Chloé, 1986-

Charlotte
(Casting)
Pour les jeunes de 12 ans et plus.
ISBN 978-2-89714-114-1
I. Titre.

PS8643.A77C42 2015 jC843'.6 C2015-940151-8
PS9643.A77C42 2015

Direction littéraire : Jennifer Tremblay
Révision : Michel Therrien
Couverture : Atelier BangBang (Simon Laliberté)
Mise en pages : Michel Fleury
Photo : Mathieu Rivard

Dépôt légal : 1er trimestre 2015
Bibliothèque et Archives nationales du Québec
Bibliothèque et Archives Canada

ISBN : 978-2-89714-114-1

GROUPE VILLE-MARIE LITTÉRATURE
Vice-président à l'édition
Martin Balthazar

Groupe Ville-Marie Littérature inc.
Une société de Québecor Média
1010, rue De La Gauchetière Est
Montréal (Québec) H2L 2N5
Tél. : 514 523-7993, poste 4201
Téléc. : 514 282-7530
info@leseditionsdelabagnole.com
leseditionsdelabagnole.com

Nous reconnaissons l'aide financière du gouvernement du Canada par l'entremise du Fonds du livre du Canada (FLC) pour nos activités d'édition.
Nous remercions le Conseil des arts du Canada de l'aide accordée à notre programme de publication.
Les Éditions de la Bagnole bénéficient du soutien financier de la Société de développement des entreprises culturelles du Québec (SODEC) pour son programme d'édition.
Gouvernement du Québec – Programme de crédit d'impôt pour l'édition de livres – Gestion SODEC.

À Pierre C., Anna-K., José, Mariette
et à grand-papa Marcel, surtout

« Un diamant avec quelques défauts est
préférable à une simple pierre qui n’en a pas. »

Proverbe amérindien

PROLOGUE

Grand-papa,

J'ai une mémoire d'éléphant, tu me l'as toujours dit. Je me souviens de tout, des événements importants comme des détails insignifiants. C'est vrai. Mon cerveau est un disque dur qui emmagasine toutes les informations sans la moindre distinction : les bons souvenirs comme les mauvais, les petits fous rires et les grandes peines, les fiertés et les échecs, les rencontres inespérées et celles dont je me serais bien passée...

Les événements que j'ai vécus cette année comportaient un peu de tout ça, mais n'avaient certainement rien d'insignifiant. Mon disque interne les a naturellement gravés. Impossible de les oublier.

Comme tu n'étais pas là pour vivre ce grand rêve avec moi, c'est à mon tour de te raconter une histoire. Celle d'une petite étoile gênée de briller.

J'ai fait un gros effort de reconstitution pour relater les derniers mois avec précision, je peux t'assurer qu'aucun détail n'a été épargné.

J'ai fait un travail d'éléphant.

En ta mémoire.

1

6 juin, 14 h 22
Montréal

J'entre dans l'ascenseur comme une bête à l'abattoir. La tête baissée, la mort dans l'âme, mais résignée. On s'est tapé sept heures de route pour venir jusqu'ici, il est un peu tard pour reculer.

Premier étage : je replace une mèche rebelle derrière mon oreille.

Deuxième étage : je prie pour que l'humidité n'ait pas totalement saboté la tentative désespérée de ma mère pour dompter ma crinière. Des plans pour qu'elle retourne à la voiture sous la pluie battante chercher son foutu fer plat.

Troisième étage : je lance un regard nerveux à Raffie par-dessus mon épaule.

Quatrième étage : ma meilleure amie sourit pour me rassurer. Elle ne laisse rien paraître, mais je sais qu'elle donnerait cher pour être à ma place, et je me sens encore plus coupable d'avoir envie de disparaître.

Cinquième étage : j'arrache d'un coup sec la peau morte sur mon pouce avec laquelle j'ai joué une bonne partie du trajet. J'avais promis à ma mère d'arrêter de me massacrer les mains. Tant pis.

Sixième étage : je concentre mon attention sur la goutte de sang qui perle à mon doigt pour éviter de penser à ce qui m'attend.

Septième étage : je me rends à l'évidence, impossible de ne pas penser à ce qui m'attend. Je passe donc au plan B et ferme les yeux pour inspirer profondément comme nous l'a enseigné madame Sylviane. Le vieux truc de ma (vieille) prof d'art dramatique m'a toujours aidée à surmonter le trac avant de monter sur scène ou de faire un exposé oral, il n'y a aucune raison que ça ne fonctionne pas aujourd'hui.

Huitième étage : une sonnette annonce l'ouverture des portes. Si je m'écoutais, j'appuierais sur le bouton d'urgence pour les empêcher d'ouvrir. Ma mère passe déjà son bras autour de mes épaules pour m'entraîner à l'extérieur, alors je me contente de soupirer en la suivant docilement.

Bon chien-chien à sa maman.

Tandis qu'on suit les indications sur les panneaux fléchés, mon anxiété aussi grimpe en flèche. Preuve que la technique respiratoire de madame Sylviane a ses limites.

On aboutit dans une salle d'attente ultramoderne où des chaises sont alignées le long de murs décorés d'affiches de films de tous genres. Des luminaires multicolores descendent du plafond et des cubes de bois font office de tables basses pour les magazines, bien moins défraîchis que ceux de la clinique médicale de mon patelin. Mais je me fous royalement de la déco, tout ce qui m'importe, c'est de ne pas détonner trop.

Mon regard s'attarde sur les autres filles qui attendent. Elles paraissent toutes plus vieilles que moi avec leur air blasé et leur style faussement décontracté. Il y en a une qui a le look de la parfaite hipster: lunettes à large monture, camisole ample, mini-short à taille haute et bottillons. Les autres semblent tout droit sorties d'une pub de H&M avec leurs foulards bohèmes et leurs jeans troués. Ça confirme ce que je craignais: ma tenue est clairement trop soignée pour l'occasion. Je me sens comme une mini-miss parachutée dans une manifestation féministe: méprisée.

Je tire sur le bas de ma jupe et je prends mon courage à deux mains pour aller annoncer mon arrivée à la réceptionniste, une femme d'une quarantaine d'années dont le visage m'est vaguement familier. Je me racle la gorge pour attirer son attention. Assise derrière son bureau, elle ne daigne même pas lever la tête, alors je prends les devants (aussi bien en finir au plus vite) :

— Allô ! Je suis ici pour l'audition.

Elle me considère brièvement, un sourcil relevé.

— Call-back pour Alix ?

— Euh, pardon ?

— T'es venue pour quel rôle ?

— Celui d'Alix.

— C'est ce que je disais. Ton nom ?

Son ton glacial me déstabilise juste assez pour que je me mette à bafouiller.

— Cha... Charlotte Lemieux.

— Sacha quoi ?

— Lemieux. Et c'est Charlotte, pas Sacha.

— Hum.

Pendant qu'elle cherche mon nom sur la liste de convocations, je sens le besoin de me justifier :

— Faut m'excuser, je suis pas habituée à me présenter. Tout le monde se connaît, là où j'habite !

Mon rire sonne faux, mais pas autant que le sourire forcé qu'elle plaque sur ses affreuses lèvres dessinées au crayon en disant :

— Remplis ça et reviens me voir quand tu auras fini. On va prendre ta photo.

J'attrape l'écritoire et le stylo qu'elle me tend et m'empresse d'aller m'asseoir entre ma mère et Raffie sous l'œil nonchalant des autres candidates. Bravo grande championne, maintenant tout le monde sait que tu viens d'un petit village !

— C'est quoi ça ? Qu'est-ce qu'il faut que tu fasses ? demande ma meilleure amie dans un débordement d'enthousiasme.

— C'est ma fiche d'audition.

— Je peux t'aider à la remplir ?

— Non.

Je suis bête, je sais. Mais j'aurais préféré répéter mon texte une dernière fois dans ma tête au lieu de devoir répondre à toutes leurs questions, celles de Raffie y compris.

Nom, prénom, âge, numéro de téléphone, adresse électronique... jusqu'ici, ça va. Grandeur, poids, couleur des yeux et des cheveux, taille de chemise, de pantalon et de robe, pointure de souliers... La couleur de mon soutien-gorge avec ça ? Sans blague, s'ils se fient à nos réponses pour éliminer les candidates trop ordinaires, je suis mal barrée avec mes 5 pieds 3 pouces, 115 livres, cheveux châtains, yeux bruns.

— Écris marron clair, pour les yeux. Et pour les cheveux, mets caramel, tout le monde aime ça le caramel, suggère ma mère.

Caramel et marron clair, c'est totalement ridicule. On n'est pas dans un concours culinaire ! Sauf qu'elle n'a pas tort, je manque un peu de saveur... Je choisis donc de suivre les recommandations maternelles et j'en profite pour m'alléger de quelques livres au passage. Tant qu'à embellir la réalité, aussi bien y aller gaiement.

Les choses se corsent dans la deuxième section du formulaire alors qu'on demande le nom et les coordonnées de mon agence artistique, puis mon numéro UDA, membre actif ou stagiaire. C'est quoi l'UDA ? La mafia des acteurs ? Le Costco des artistes ? Je passe à la prochaine question : rôles obtenus dans les deux dernières années. Avoir joué dans les pièces de théâtre d'une école secondaire qui n'a même pas de site Internet, ça compte ou pas ?

Quand je dis que je suis mal barrée...

Au moment de lui redonner l'écritoire avec ma fiche d'audition truffée d'informations mensongères, je demande à la réceptionniste si Raffaella Di Salvio ne figurerait pas sur leur liste, par hasard. Elle me répond que non, mais j'insiste pour savoir s'il y aurait possibilité que mon amie passe l'audition. Sa réponse est catégorique : « Pas de temps à perdre, ma belle ! »

Merci quand même, face de citron.

Elle prend ma photo, puis je retourne à ma chaise. Je ne suis pas encore assise que déjà, ma mère me tombe dessus.

— T'as une tête à faire peur. Tiens, prends ça et va te recoiffer aux toilettes, m'ordonne-t-elle en me tendant son fixatif format voyage et le fameux peigne qu'elle traîne toujours dans son sac à main.

— Maman... (Je lui fais de gros yeux pour qu'elle comprenne qu'on nous écoute.) Je me suis brossé les cheveux juste avant de sortir de l'auto, y a même pas cinq minutes.

Elle secoue la tête avec son air excédé, celui qu'elle prend quand je lui tombe sur les nerfs. J'ai hérité de sa tignasse indomptable, mais certainement pas de sa coquetterie légendaire. Elle ne lâchera pas le morceau, je la connais. Je capitule avant qu'elle ne me sorte encore son fameux discours: «Tu vis le rêve de toute adolescente, tu devrais être contente.»

Aux toilettes, le miroir me renvoie le reflet d'une étrangère. Le genre de fille que je ne supporte pas: jupe courte, camisole à fines bretelles, sandales à talons, cheveux figés par un abus de fixatif, joues fardées et mascara. Qu'est-ce qui m'a pris de suivre les conseils vestimentaires de ma mère? J'ai l'air d'une «matante» dans un party de sacoches, les rides en moins.

Heureusement, j'avais prévu le coup. Même si j'étais zombie d'avoir trop peu dormi, j'ai eu la présence d'esprit d'enfoncer des leggings et une paire de gougounes dans mon sac fourre-tout avant de quitter la maison à l'aube, ce matin. Tant qu'à les avoir trimballés sur près de cinq cents kilomètres, aussi bien les porter. J'enfile mes leggings à pois et mes bonnes vieilles gougounes en vitesse, de peur de changer d'idée. Je remonte mes cheveux en un chignon désordonné et contemple le résultat, satisfaite. Ma mère va faire une de ces têtes ! Mon look est loin d'être parfait, mais au moins, je me reconnais.

Quand je ressors des toilettes, quelques minutes plus tard, il n'y a pas que mon apparence qui a changé. Mon attitude aussi. Je ne sais pas si c'est ma métamorphose qui me fait cet effet, mais je suis gonflée à bloc. Prête à me jeter dans la gueule du loup. Je rejoins mes compagnes dans la salle d'attente de « Télégénik, agence de casting » sans broncher devant l'écriteau qui m'intimidait tant à mon arrivée. Bien déterminée à essuyer les protestations de ma mère face à ma douce rébellion, je viens pour poser mes fesses sur la chaise quand j'entends mon nom.

Une femme me fait signe de la suivre. Je suis attendue en salle d'audition.

Je m'y dirige sans un regard pour ma meilleure amie, qui manque l'école pour être ici aujourd'hui, et j'entre dans la pièce en ignorant les mimiques désespérées de ma mère, qui me supplie de défaire mon chignon.

C'est à moi de jouer maintenant, qu'elle le veuille ou non.

2

Avant d'aller plus loin, aussi bien revenir sur les événements qui m'ont conduite à cette humiliante audition...

22 mai (deux semaines plus tôt, donc), 19 h 27
Les Bergeronnes, Côte-Nord

Je n'ai jamais quitté la Côte-Nord sinon pour aller magasiner à Chicoutimi, au Saguenay. Ce n'est qu'à une heure et demie de route de chez moi, mais je ne peux pas vraiment dire que je suis familière avec le coin parce que papa dit qu'on ne connaît pas un endroit tant qu'on n'a pas été présenté au facteur ou au boucher (ce qui n'est clairement pas le cas). De Chicoutimi, je ne connais que le Costco et le centre commercial. Et lorsqu'on va à la Place du Royaume, c'est tout juste si je parle aux vendeuses qui sont à peine plus âgées que moi.

Non pas que je sois timide, mais je n'aime pas trop attirer l'attention, qu'importe la situation. En fait, les seuls moments où je me permets vraiment de briller, c'est quand je suis sur scène. Quand j'entre dans la peau d'un personnage et que je me connecte à lui au point d'en oublier qui je suis, c'est magique. Je ne connais rien de plus fort que ça.

J'ai toujours adoré le théâtre, mais je n'ai jamais eu l'ambition de devenir une vedette de cinéma. Ce serait beaucoup trop espérer pour une fille aussi banale que moi ! Quoi que tu en penses, grand-papa, la seule raison pour laquelle je me suis laissé convaincre par Raffie de m'inscrire aux auditions publiques du film *Une famille à l'envers*, c'est que j'espérais me rendre jusqu'en finale pour avoir enfin la chance d'aller à Montréal.

À chacun ses rêves.

Dans les miens, c'est Raffie qui décrocherait le rôle et moi qui irais la visiter en plein tournage dans la métropole. Mais je ne me fais pas trop d'illusions, ni pour elle ni pour moi, car je sais qu'on a été très nombreuses à passer l'audition.

8762, pour être plus précise.

8762 Québécoises âgées entre douze et quinze ans ont déclamé leur texte devant leur webcam, dans le confort de leur chambre... ou celle de leur meilleure amie, comme ce fut mon cas.

C'est en regardant BAM-TV, la chaîne préférée des ados, que j'ai vu la publicité du concours pour la première fois. Puis, en surfant sur son site favori (Hollywood PQ, pour ne pas le nommer),

Raffie est tombée sur l'article «qui allait changer le cours de notre vie»:

Le couple chéri du cinéma québécois annonce la tenue d'auditions publiques pour un projet cinématographique

Montréal – Émilie Chartier et Marc-Antoine Bibeau partageront le grand écran avec une actrice débutante dans le prochain long-métrage de Yann Thomas. Des milliers d'adolescentes aspirent à devenir actrices depuis que le couple d'acteurs le plus adulé du Québec a annoncé la tenue d'auditions interactives via une plateforme web. Yann Thomas, le réalisateur du film Une famille à l'envers, *espère ainsi dénicher la «perle rare», une jeune actrice non professionnelle qui saura interpréter Alix, douze ans, avec justesse et authenticité. Celle qui décrochera le rôle principal devra être troublante de vérité puisqu'elle incarnera une jeune suicidaire confiée à un couple de trentenaires extravagants qui héberge d'autres jeunes écorchés. Qui sera la future tête d'affiche du prochain succès au box-office? Vous avez jusqu'au 24 février pour participer. Rendez-vous à cette adresse afin de connaître les détails relatifs à l'inscription:* www.bam-tv./famillealenvers.ca

J'avais accroché sur un détail - Alix, douze ans -, j'ai donc protesté qu'on était trop vieilles pour le rôle, ce qui m'a valu d'être insultée au passage par Raffie: «Voyons, Charlotte. Toi, tu peux FACILEMENT passer pour une fille de douze ans!»

Que ce soit bien clair: je suis consciente de ne pas faire mes quatorze ans avec mon nez retroussé et ma petite face de bébé, mais puisque mon amie sait que ça me complexe, elle évite généralement de me le rappeler. Cette allusion fut en quelque sorte l'exception qui confirma la règle...

Bref. Je ne sais pas trop ce qui m'a pris d'accepter comme ça, sur un coup de tête, mais c'est ainsi qu'on a toutes deux soumis notre candidature, un soir de tempête. Durant trois mois, j'ai volontairement effacé cet épisode de mon esprit jusqu'à ce qu'il refasse surface dans un courriel qui annonçait aux participantes la diffusion d'une émission spéciale à BAM-TV. Les auditions publiques d'*Une famille à l'envers* seront présentées pas plus tard que ce soir. Ça signifie qu'il y a des chances (ou des risques, car tout est relatif) qu'on passe à la télé d'ici la prochaine heure, et cette pensée me terrifie autant qu'elle réjouit Raffie.

Je devrais sans doute lui rappeler qu'on n'a que deux minuscules chances sur 8762, mais je n'ai pas le cœur de lui gâcher son plaisir. Malgré ces infimes probabilités, ma meilleure amie a insisté auprès de nos parents pour qu'on regarde l'émission tous ensemble chez moi, car on a une plus grosse télé. Elle a aussi invité son grand frère, mais Alessandro – ou Alex, comme il préfère qu'on l'appelle – a refusé de se joindre à nous, à mon grand soulagement. Qu'il sache que mon inscription à ce stupide concours me gêne déjà bien assez, inutile d'en rajouter. Son père, sa mère et la mienne s'entassent donc sur le sofa de notre salon tandis que Raffie et moi nous asseyons à même le tapis avec mon gros chien en guise de coussin. Nougat est le plus doux et le plus paresseux des bouviers bernois, rien ne le dérange (enfin, je crois).

Tout le monde est là sauf Alex, qui avait mieux à faire, et mon père qui bricole encore dans son atelier au sous-sol. Il devrait monter d'une minute à l'autre, mais je le soupçonne de prendre tout son temps pour échapper à ces discussions qui l'ennuient tant. Si nos mères sont les meilleures amies du monde (après nous, bien sûr), nos pères se tolèrent, sans plus. C'est qu'ils sont très différents l'un de l'autre. Ricardo est une vraie « bête sociale » alors que papa, lui, se contente généralement d'être bête. Le père de Raffie gesticule sans arrêt, comme tout Italien qui se respecte (c'est lui qui le dit, pas moi). Ma mère prétend qu'il est très charismatique, mais je pense qu'elle le trouve surtout très exotique.

Il faut dire qu'à part lui et le couple de Suisses à l'accent coupé au couteau qui a acheté l'auberge de la rue principale, les seules personnes « exotiques » qu'on peut rencontrer ici sont les touristes qui sillonnent la côte dans l'espoir d'apercevoir les baleines, l'été. Ricardo, lui, a toujours une histoire drôle ou une anecdote insolite à nous raconter. C'est peut-être pour ça que mon père ne l'aime pas trop, à bien y penser. À cause des étincelles qu'il met dans les yeux de maman quand il la fait rire aux éclats.

C'est peut-être pour ça, aussi, que mon père s'applique à massacrer le patronyme Di Salvio avec son gros accent bien gras. Il le fait exprès, j'en suis certaine. Sinon, comment expliquer qu'il soit capable de prononcer à la perfection le nom des joueurs des Canadiens ? Les énumérer d'une traite comme il le fait - Tokarski, Sekac, Plekanec, Galchenyuk... - relèvent carrément de l'exercice de diction pour champions ! Ou du virelangue, comme dirait madame Sylviane.

La musique du générique d'ouverture me tire de mes pensées. Ça, et ma mère qui s'époumone à mes côtés pour que mon père daigne enfin pointer le bout de son nez.

— Philiiiiiiiiiiiiiiiiiiipe ! Ça commence !

Je devrai désormais me contenter d'une oreille ; maman vient de me perforer le tympan.

Je devine quand même l'arrivée de papa à son pas lourd qui fait vibrer l'escalier, puis le plancher. Pas la peine de me retourner, c'est un signe qui ne trompe pas.

En nous rejoignant, mon père marmonne quelque chose comme :

— Ça va. Pas besoin d'alerter tout le voisinage.

Ce à quoi ma mère répond :

— Tu voudrais quand même pas manquer les débuts de ta fille à la télé ? Non ? Eh bien, les voisins non plus !

Moi je m'en passerais bien, en revanche.

Le générique de l'émission spéciale cède maintenant la place aux animateurs : le fameux couple vedette formé par Émilie Chartier et Marc-Antoine Bibeau. Je retiens mon souffle pendant le blabla des deux tourtereaux alors qu'une gigantesque carte du Québec s'affiche derrière eux. Des milliers de points jaunes, concentrés pour la plupart sur la région de Montréal (comme on s'y attendait), illuminent cette carte un bref instant, puis ils disparaissent tous à l'exception d'une cinquantaine. Cinquante petits points qui grossissent progressivement pour devenir des étoiles. Les finalistes.

— Il y en a une sur la Côte-Nord ! Regardez ! Il y a une étoile sur la Côte-Nord !

La mère de Raffie est presque aussi hystérique que la mienne, et avec raison. Il y a bien une étoile jaune sur notre région. Mais encore une fois, je ne me fais pas trop d'illusions parce que c'est vaste, la Côte-Nord, et que je connais au moins deux autres participantes, rien qu'à mon école.

— Ce serait trop fou que ce soit l'une de nous deux ! s'excite Raffie en bondissant sur ses pieds pour aller se planter à dix pouces de l'écran plasma.

— Raffaella, tu nous caches la vue. Reviens t'asseoir, lui ordonne sa mère.

— *Si ! Siediti, Gioia.*

Gioia, ça veut dire « joie ». Ricardo l'appelle toujours de cette façon et je trouve ça joli parce que je ne connais pas de meilleur mot pour décrire cette fille pétillante et lumineuse qu'est ma meilleure amie.

Même si je ne crois pas trop en Dieu et à toutes ces histoires de barbus en tunique, je prie de tout mon cœur pour qu'elle fasse partie des finalistes. Elle était tellement bonne ! Un peu trop théâtrale à mon goût, mais c'est son côté italien, c'est normal.

Les auditions se succèdent sans qu'aucun visage familier ne vienne perturber mon apparente tranquillité. Je reste zen... en surface. Plus que deux étoiles sur la carte de la Belle Province. L'émission tire bientôt à sa fin, le supplice aussi. Je suis à la fois triste et rassurée de penser que ce n'est pas aujourd'hui que notre univers sera chamboulé par une première apparition à la télé. Non, ce jour n'est pas encore arrivé. À moins que...

— Restez à l'écoute pour connaître nos deux dernières finalistes... commence Marc-Antoine, laissant ainsi la meilleure réplique à sa coanimatrice et dulcinée :

— Au retour de la pause, on vous transporte à Laval et aux Bergeronnes !

Les cris simultanés de Raffie, sa mère et la mienne me font l'effet d'une bombe. À cause d'elles, je suis officiellement sourde des deux oreilles, en plus d'être paralysée.

La pause publicitaire semble durer une éternité. L'audition présentée au retour de la pause vient entamer mes dernières réserves de patience. L'accent traînant de cette Lavalloise trop maquillée me donne envie de zapper, mais il faudrait passer sur le corps de ma mère pour prendre le contrôle de la télécommande. Alors je flatte machinalement mon chien Nougat pour passer le temps, jusqu'à ce que l'image de la Lavalloise soit remplacée par un (très) gros plan d'une grosse face que je connais.

La mienne.

Mon nez retroussé et cette ridicule bouche de poupée, projetés sur un écran de soixante pouces. Je hais la haute définition ; on voit tous mes points noirs !

Je savais que j'aurais dû zapper avant qu'il ne soit trop tard.

Me voilà totalement incapable de détacher mon regard de la télévision, où un clone qui me ressemble à s'y méprendre enchaîne les répliques de sa voix d'enfant. Des couinements de bébé souris ! Je reconnais bien la décoration de la chambre de Raffie, il ne fait aucun doute que c'est moi, mais j'ai quand même la désagréable impression d'épier une pure inconnue.

Les yeux humides, maman brise le silence, émue :

— Oh, ma pitchounette ! Tu es tellement belle, tu perces l'écran !

— Mets-en ! confirment Raffie et sa mère, à l'unisson.

Je ne suis certainement pas aussi télégénique qu'elles le prétendent, mais je dois me rendre à l'évidence que mon vœu a, d'une certaine façon, été exaucé. Je suis finaliste pour l'audition à Montréal. Sauf que j'aurais tout donné pour que Raffie soit choisie, elle aussi, quitte à ce qu'elle prenne ma place. J'aurai bien d'autres occasions de visiter la métropole, mais la chance inouïe de jouer dans un film ne se présentera sûrement qu'une fois dans sa vie.

Montréal m'attend, et c'est hors de question que j'y aille sans ma meilleure amie ! Je dois à tout prix trouver un moyen de lui faire passer l'audition. S'ils voient Raffaella Di Salvio en action, ils ne pourront que constater que, de nous deux, c'est elle la vraie star de cinéma.

3

6 juin, 14 h 34
Montréal, de retour à cette audition infernale...

— Place-toi sur le «x», on va faire ton identification à la caméra.

La voix du réalisateur me tire de mes pensées. Ou de mes fantasmes, devrais-je dire, parce que je n'arrive tout simplement pas à détacher mes yeux du beau comédien qui se tient devant moi. Si on m'avait dit ce matin que je rencontrerais celui qui interprétait le personnage principal de *Poly-po-poli* diffusée à BAM-TV - émission que je regardais religieusement tous les jours, au retour de l'école -, je me serais sans doute étouffée avec mon gruau. Je ne pensais pas être du genre groupie, mais je commence à changer d'avis.

— Quand t'es prête, ajoute le réalisateur pour me sortir de ma torpeur.

Je m'avance jusqu'à l'emplacement indiqué par les deux morceaux de ruban adhésif collés en croix, à même le sol. Je prends une grande inspiration avant de m'adresser directement à la caméra :

— Je m'appelle Charlotte Lemieux. J'ai quatorze ans, même si je fais un peu plus jeune que mon âge. Je viens des Bergeronnes, un petit village entre Tadoussac et Les Escoumins, sur la Côte-Nord. Je...

— Merci, m'interrompt sèchement la femme assise derrière le caméraman. Ton nom et ton âge auraient suffi. On n'a pas besoin de connaître ta vie.

Je pense : « Ah ? La fiche que vous m'avez fait remplir laissait pourtant croire le contraire... », mais je me garde de passer mon commentaire. Le réalisateur m'explique que c'est Victor, l'acteur de *Poly-po-poli*, qui me donnera la réplique. Tout pour m'aider à rester concentrée.

On doit jouer deux scènes : une très courte entre Alix et Hugo et une plus longue avec Noémie. Je me serais donc attendue à ce que ma partenaire de jeu soit moins barbue... Et surtout moins sexy. On m'assure toutefois qu'il s'agit d'une pratique courante en audition.

— On a juste un acteur pour donner la réplique, mais Victor est crédible, même en fille. Hein, mon Vic ? lance le réalisateur à son acteur, qui lui renvoie un sourire complice.

Je saisis l'occasion pour mettre mon plan à exécution.

— Ma meilleure amie m'accompagne, c'est elle qui m'a aidée à répéter pour l'audition d'aujourd'hui. Elle connaît le texte par cœur...

Je pourrais peut-être faire la deuxième scène avec elle ?

— Ah. Je suis désolé, ça ne fonctionne pas comme ça, proteste-t-il mollement.

J'ai l'impression qu'il suffirait d'insister un peu pour le faire céder.

— Vous êtes sûr ? Elle est juste à côté, ça lui ferait plaisir d'essayer.

— Non.

C'est la femme de tantôt qui se charge de trancher, toujours à moitié cachée derrière le caméraman, qui lui sert de bouclier. Elle commence vraiment à m'énerver, celle-là ! Mais je saurai au moins qui blâmer si je rate mon audition.

Je décide de me lancer, advienne que pourra. Contre toute attente, j'enchaîne mon texte avec une certaine aisance. Je retrouve vite mes moyens, plus déterminée que jamais à donner le meilleur de moi-même pour impressionner le beau comédien. Je ne rate aucune réplique. Je suis à l'écoute, pas seulement de ce qu'il dit, mais de ce qu'il fait aussi. Madame Sylviane affirme que le langage corporel est hyper important, peut-être même plus que le langage verbal, car c'est ce qui fait la différence entre un bon et un mauvais interprète. L'acteur doit être conscient de ce qu'il dégage et toujours rester dans la peau du personnage, même quand ce n'est pas lui qui parle. Ça peut sembler compliqué dit comme ça, et franchement, ça l'est.

La scène en est presque à sa fin quand une fille d'environ mon âge entre dans la pièce avec fracas.

— Tante Anna ! Maman m'a téléphoné en catastrophe, ça semble pas mal grave cette fois, je te dis, elle devra rester au lit ce soir.

Le temps semble suspendu durant une fraction de seconde qui devient une heure, mille heures, mille ans. J'ai le cœur qui bat la chamade - un jam de percussions digne du carnaval de Rio. Non, mais pour qui elle se prend, celle-là ? C'est de famille d'interrompre les gens comme ça ? Le paquet d'os se croit tout permis sous prétexte que sa tante travaille ici ? Belle mentalité de princesse des bécosses !

Tous les regards convergent vers celle qui se fait appeler « Tante Anna » - et que je préfère rebaptiser Cruella - pendant que moi, je tire des flèches enflammées avec mes yeux en prenant sa nièce pour cible.

— Pas de problème, Victoria. On te mettra dans un taxi si je finis trop tard, on commandera une pizza ou n'importe quoi d'autre. Retourne dans la salle là ! On est occupés ici !

J'ai beau la trouver chiante avec son accent pompeux, cette fois je suis d'accord avec Cruella.

En fait, je voterais même pour qu'on appelle un taxi sans plus tarder. Comme dirait la réceptionniste : « Pas de temps à perdre, ma belle ! »

L'intruse se tourne vers moi et ouvre la bouche pour parler, mais elle se ravise aussitôt.

Elle tourne finalement les talons sans s'excuser et ressort comme elle est arrivée : en coup de vent. Une fois la tornade brune repartie, le réalisateur me demande de reprendre la scène depuis le début, mais rien ne va plus. Dans ma tête, c'est le néant. Je n'ai absolument aucun souvenir de mon texte. S'il m'est arrivé, sous l'effet du trac, d'avoir un trou de mémoire durant mes pièces de théâtre, madame Sylviane ou Raffie étaient toujours là pour me souffler la réplique oubliée. Aujourd'hui, je ne peux compter sur personne d'autre que moi.

Alors je me rabats sur l'ultime solution : l'improvisation.

À ma sortie de la salle d'audition, je suis comme en transe, plongée dans un état second. Je n'ai qu'une vague idée de ce qui vient de se passer, et c'est aussi bien ainsi puisque j'ai l'intime conviction d'avoir tout fait foirer.

J'entends ma mère demander un autographe à la réceptionniste. La honte ! Ça me revient, maintenant : face de citron tenait le rôle principal d'un vieux téléroman dont raffolait maman.

Enfin, je crois. Car, s'il s'agit bien de la même personne, cette femme autrefois très belle n'est plus qu'une caricature d'elle-même.

Ça expliquerait l'amertume et la tête d'agrume...

Ma meilleure amie, elle, est occupée à feuilleter un magazine féminin ou plutôt, à faire semblant. Côté subtilité, on repassera. Raffie est assise en face de la princesse des bécosses qui a perturbé mon audition et elle ne la lâche pas des yeux. C'est évident comme un feu sauvage sur une photo de classe qu'elle la dévisage.

Son regard s'illumine en me voyant. Le mien s'assombrit.

— Pis? Comment ça s'est passé? qu'elle demande.

Au lieu de lui répondre « un désastre » (et de m'avouer vaincue devant l'autre garce), je me dépêche à ramasser mon sac en grognant entre mes dents :

— On sort d'ici. Vite.

Du regard, je décoche une dernière flèche enflammée au paquet d'os, puis je tire ma meilleure amie par le bras jusqu'à l'ascenseur. La groupie qui me sert de mère n'aura qu'à nous rejoindre à l'auto.

Les portes s'ouvrent sur deux autres finalistes venues passer l'audition. Tandis qu'on s'engouffre dans la cabine, je tends l'oreille pour saisir des bribes de leur conversation.

— Tu t'es pas fait coacher ?

— Non. Mon agente m'a dit que ça valait pas la peine, vu qu'on sait déjà que c'est elle qui a le rôle.

— On sait pas. C'est juste une rumeur.

— Peut-être. N'empêche que ce serait pas la première fois qu'elle décroche quelque chose grâce à sa tante...

Les portes de l'ascenseur se referment, mais j'en ai assez entendu pour deviner que ma carrière d'actrice de cinéma s'achève avant même d'avoir commencé.

Avoir su qu'on ferait tout ce chemin pour rien, je serais restée chez nous. Ça m'apprendra à vouloir sortir de mon trou.

4

27 juin, 16 h 11
Les Bergeronnes, Côte-Nord

Depuis l'audition à Montréal et surtout, depuis la diffusion de la seconde émission spéciale à BAM-TV, maman devient surexcitée chaque fois que le téléphone sonne. Elle s'est même arrangée auprès de sa supérieure à la Caisse populaire pour partir plus tôt tous les jours, de peur de manquer un appel de la production.

C'est pitoyable...

Et il n'y a pas que ma mère ! L'attente serait supportable si ce n'était que de moi, mais depuis que la population des Bergeronnes en entier a regardé l'émission et décidé de s'en mêler, je vis un véritable supplice.

La caissière à l'épicerie :

— Paraît que tu vas jouer dans un film. C'est vrai, cette histoire-là ?

(Oui. Non. Peut-être ?)

Le prof d'anglais après l'examen :

— *So Charlotte, will you be a movie star ?*

(*I don't know, mister.*)

Ma marraine, au téléphone :

— Pis ? Pis ? Est-ce qu'ils t'ont choisie ?

(*I still don't know*, ma tante.)

Raffie, tous les jours depuis l'audition :

— Je vais être la première à le savoir, hein, s'ils t'appellent ?

(Oui, Raffie ! Pour qui tu me prends ?!)

Deux semaines que ça dure. Leurs questions incessantes me hantent jusque dans mon lit, la nuit. Mais pour être franche, c'est surtout la culpabilité qui me tient éveillée. Je me sens coupable d'avoir accepté de m'inscrire juste pour faire plaisir à ma meilleure amie, coupable de m'être rendue en finale à sa place et surtout, coupable de n'avoir pas su convaincre la méchante productrice et le gentil réalisateur de lui donner une seconde chance.

J'ai échoué sur toute la ligne.

Heureusement, BAM-TV n'a diffusé qu'une version abrégée de mon audition, sans interruption de Victoria ni trou de mémoire. La princesse des bécosses et moi avons néanmoins été couronnées les deux grandes finalistes de l'émission. C'est bien plus que je n'oserais l'espérer. Mais quel genre d'amie volerait les rêves de sa *best* pour les réaliser sans elle ? Je suis la reine des ingrates. C'est Raffie qui devrait être dans ma situation, à répondre aux mille et une questions des curieux. Je suis certaine qu'elle le ferait avec grand plaisir en leur servant son plus beau sourire.

Moi, je n'arrive à rien ces jours-ci... J'aurais dû passer les trois dernières semaines à me concentrer sur notre pièce de théâtre et sur nos examens de fin d'année, mais je n'ai fait que retourner cette histoire de premier rôle dans ma tête en évaluant les probabilités que je sois choisie, et que je trahisse du même coup ma meilleure amie. Je suis passée d'une chance sur 8762 à une chance sur deux. Cinquante pour cent, c'est énorme ! Assez pour que j'angoisse à l'idée d'être appelée, alors que je devrais davantage angoisser à l'idée de redoubler ma troisième secondaire...

J'ai éteint mon cellulaire pour ne pas être dérangée, j'entends toutefois notre téléphone résidentiel sonner.

Ma mère répond, puis se foule presque une cheville en accourant pour me tendre le combiné. C'est louche.

— Je vous la passe avec plaisir, monsieur. Un instant !

Oh mon Dieu, c'est sûrement eux. Il faut vraiment que ce soit important pour que maman sorte son vouvoiement du dimanche. Ma voix trahit ma nervosité quand je réponds.

— Oui ?

— Charlotte ! Yann Thomas, le réalisateur d'*Une famille à l'envers*.

Je bafouille un « salut, ça va ? » quasi inaudible, mais il poursuit déjà.

— Habituellement, c'est l'agence de casting qui se charge des appels, mais dans notre cas, ç'a été un peu plus... compliqué, disons. C'est pour ça que j'ai préféré t'appeler directement. Charlotte, c'est toi ma préférée depuis le début, mais...

Il va me dire que je n'ai pas décroché le rôle, c'est clair, sinon il irait droit au but. Je l'interromps pour lui rendre la tâche plus facile.

— Écoutez, c'est pas grave si vous avez choisi l'autre fille. Je comprends.

— Non, t'as rien compris, justement.

Mon silence est chargé de points d'interrogation. Je ne dis rien et pourtant, ma mère est pendue à mes lèvres. C'en est presque comique.

— As-tu déjà des plans pour cet été ?

— Non. Pas vraiment.

— Ça tombe bien parce que tu viens passer deux mois à Montréal. Le rôle d'Alix est à toi !

— Euh. C'est une blague ?

Si oui, elle est bien moins drôle que l'expression faciale de maman.

— Non. Je suis sérieux, pour une fois.

Et il se met à rire, histoire de se contredire. Mais il y a quelque chose que je n'arrive pas à m'expliquer... Peut-être saura-t-il m'éclairer.

— J’étais convaincue d’avoir complètement raté mon audition à cause de mon trou de mémoire. Ça doit pas être super bien vu d’oublier son texte ?

— Ça dépend. Si l’actrice s’en sort en improvisant des répliques meilleures que les originales, j’ai pas de problème avec ça ! Victor et toi, vous aviez une chimie incroyable. Tu nous a littéralement jetés par terre, Charlotte.

C’est lui qui me jette par terre, avec ses commentaires élogieux.

— On commence à tourner le 10 juillet, mais on aurait besoin de toi avant. Il faudrait idéalement que t’arrives en ville le 3 ou le 4 pour les essayages.

— ...

— Charlotte ? Toujours à l’écoute ?

— Oui. Faut juste me laisser le temps de digérer la nouvelle.

J’entends à nouveau le rire doux-amer de Yann à l’autre bout du fil. Wow. J’amuse un réalisateur réputé, mon sens de l’humour prend du galon !

— C’est normal, je sais que ça fait beaucoup en même temps. Mais t’es contente, j’espère ?

Je réponds un peu trop vite pour que ce soit convaincant :

— Oui, oui.

— Super ! Parce que j'en connais plusieurs qui donneraient cher pour être à ta place. Dont une en particulier...

Ça y est, on croirait entendre ma mère ! Tout pour apaiser ma culpabilité. Il propose d'ailleurs de rappeler à un autre moment pour discuter « détails logistiques » avec mes parents. Je lui dis que c'est parfait et je raccroche un peu trop vite pour que ce soit poli. Je manque cruellement de pratique en affaires.

— Qu'est-ce qu'il a dit ? demande alors maman d'une voix étonnamment posée.

Tu devrais la voir, papi ! Elle se donne un air détaché, mais je n'y crois pas une seconde. Telle que je la connais, elle doit bouillir de l'intérieur. C'est évident. Palpable, même. Ma mère est partagée entre l'espoir et la peur. Peur que je ne sois pas choisie et que ses rêves dorés s'envolent en fumée ou, pire, que je sois choisie et que je me perde dans un univers d'adultes auquel je n'étais pas préparée.

Ça ne l'empêche pas d'espérer, malgré tout.

Elle tente tant bien que mal de déchiffrer mon expression, mais c'est peine perdue. Je ne sais pas moi-même ce que je ressens. Qu'importe. Ce serait cruel de faire durer le suspense plus longtemps.

— Paraît que le choix n'a pas été facile, mais...

— Mais ?

— C'est moi qui ai le rôle ! Yann Thomas dit que j'ai toujours été sa préférée. Prépare tes valises. ON S'EN VA PASSER L'ÉTÉ À MONTRÉAL !

Ma mère pousse un immense soupir de soulagement avant de me prendre dans ses bras pour me serrer de toutes ses forces.

— Oh ma pitchounette, je suis tellement contente ! T'es la meilleure. Personne ne méritait ce rôle autant que toi !

Je ne peux m'empêcher de penser : « Personne, sauf Raffie. »

Maintenant, ne reste plus qu'à trouver la bonne façon d'annoncer la nouvelle à ma meilleure amie...

5

5 juillet, 13 h 47
Montréal, au beau milieu des gratte-ciel

Je n'ai même pas eu un mot à dire, ce fameux vendredi soir de juin. En me voyant apparaître dans sa chambre, Raffie a tout de suite su. « T'as eu le rôle », qu'elle a dit. C'était plus une affirmation qu'une question, alors je me suis contentée d'acquiescer pour confirmer ce qu'elle savait déjà.

Des fois, j'ai l'impression que ma meilleure amie me connaît mieux que je ne me connais moi-même. La preuve, c'est que j'avais croisé mon reflet dans le miroir du vestibule en entrant chez elle et, sans blague, on n'aurait jamais dit la grande gagnante d'un concours à l'échelle provinciale. Ça ne l'a pourtant pas empêchée de deviner et même de se réjouir pour moi.

Je croyais qu'elle serait froissée de l'apprendre, mais je me trompais sur toute la ligne. Raffie ne l'a pas du tout mal pris, au contraire : elle s'est mise à sauter de joie comme si c'était elle qu'on verrait bientôt au cinéma. Sa résilience m'impressionne.

Dès que notre pièce de théâtre annuelle a été présentée, elle a mis toutes ses énergies à m'aider dans les préparatifs pour mon séjour à Montréal.

Les deux dernières semaines ont filé à une vitesse ahurissante. J'ai été super occupée à mémoriser les centaines de milliers de lignes d'Alix (bon, j'exagère un peu, mais à peine). Par chance, ma fidèle amie s'est proposée pour répéter les scènes avec moi, car le scénario d'*Une famille à l'envers* m'apparaissait comme une montagne insurmontable ! Grâce à elle, j'arrive à Montréal bien préparée.

Ma mère et moi venons tout juste de poser nos valises dans l'appartement où nous logerons pour les deux prochains mois. Nous sommes en ville depuis hier après-midi, mais la production nous payait une chambre d'hôtel la première nuit, à mon plus grand plaisir. Ça faisait si longtemps que j'avais dormi ailleurs que chez moi ou chez Raffie, j'étais heureuse comme une gamine de séjourner dans un établissement d'une chaîne hôtelière connue. Tellement que j'ai tenu à garder les échantillons de shampoing, de revitalisant et de gel douche qui puent en souvenir. C'est tout dire !

Pour être franche, on se croirait toujours à l'hôtel dans ce quatre et demie impersonnel. C'est petit. On sent bien que ce logement de gars avait jusqu'ici échappé au contrôle féminin. Ça manque d'ambiance et de chaleur humaine, mais je vais habiter chez un réalisateur en plein centre-ville, alors je suis mal placée pour me plaindre.

L'ami de Yann Thomas a effectivement offert de nous prêter son appart pour la durée du tournage, étant parti quelques mois tourner un documentaire sur les favelas brésiliennes. C'est du moins ce que nous a raconté Yann pendant qu'il nous remettait les clés et nous faisait visiter. Si ça se trouve, son « vieux chum » purge une peine d'emprisonnement minimale pour négligence domestique et atteinte à la décence en design intérieur...

Il vient tout juste de partir et déjà, ma mère s'applique à récurer la moindre surface de l'appartement. Tu sais comment elle est ! Rien n'y échappe, pas même les fonds de tiroirs et les luminaires recouverts d'une épaisse couche de poussière. J'ai proposé de l'aider, mais elle ne veut rien savoir.

— Va répéter ton texte à la place !

Alors je m'installe sur le lit de ma minuscule chambre avec l'imposant cartable du scénario sur les genoux et je tourne les innombrables pages du script d'un geste machinal tandis que mon regard s'évade par la fenêtre ouverte. Le soleil est radieux, les rues sont bondées. Je ne demande qu'à sortir pour explorer les infinies possibilités qu'offre ce nouveau territoire, mais la conquête de ces contrées inexplorées devra attendre, j'en ai bien l'impression. Telle que je la connais, ma mère va passer la journée à nous aménager un petit nid douillet, refusant catégoriquement que je quitte ledit nid pour voler de mes propres ailes, ne serait-ce qu'un après-midi. Les rues sont bien trop dangereuses pour y laisser filer un oisillon sans défense, voyons !

Je me demande quand j'aurai enfin la chance d'aller visiter la ville. Nous sommes arrivées juste à temps pour mon rendez-vous, hier. On devait aller se promener rue Sainte-Catherine après, faire les boutiques et manger une bouchée dans un café du centre-ville, mais l'essayage des costumes d'Alix a duré bien plus longtemps que prévu. J'aimerais dire que ma première rencontre avec Kate, la costumière d'*Une famille à l'envers*, s'est bien déroulée, mais ce serait faire abstraction de la réalité...

Je souriais à pleines dents en entrant là-bas et je pleurais à chaudes larmes en sortant, quand j'ai réalisé que je m'étais fait une ennemie sur le plateau avant même le début du tournage. Avoir su que la costumière se baserait sur les informations inscrites sur ma fiche d'audition pour choisir les vêtements d'Alix, je n'aurais pas autant déformé la vérité.

De la garde-robe proposée, presque rien ne me faisait sinon les morceaux les plus laids. Son nécessaire de couture à la main, Kate me dévisageait avec une hargne à peine dissimulée, à croire qu'elle imaginait déjà les aiguilles s'enfoncer dans la poupée vaudou qu'elle confectionnerait à mon effigie. Elle m'a dit qu'elle retournerait au magasin pour essayer d'échanger ce qui ne fait pas, mais son sourire forcé ne m'a pas inspiré confiance.

L'idéal serait de perdre quelques livres dans les jours à venir pour m'assurer de ne pas être trop boudinée dans mes vêtements de tournage. Si au moins maman me laissait sortir, je pourrais aller marcher pour brûler quelques calories, mais c'est peine perdue. Je suis prisonnière dans mon nouveau nid.

Alors je replonge dans mon script en me retenant de pousser un soupir retentissant, de peur d'alerter maman. Elle ne pourrait pas comprendre comment je me sens, de toute façon. Elle est de ceux qui pensent (avec raison ?) que mon malheur ferait le bonheur de plusieurs...

Même Alex, le grand frère de ma meilleure amie, était de cet avis en raccompagnant Raffie, la veille de mon départ. J'aidais maman à charger la voiture quand il a surgi de nulle part.

— Voyons, fais pas cette tête, la vedette ! C'est génial ce qui t'arrive ! qu'il s'est exclamé en m'arrachant une valise des mains pour la ranger dans le coffre arrière, déjà trop plein.

Se doutait-il qu'une partie de moi agonisait rien qu'à l'idée de m'éloigner de lui ? Sûrement pas. J'ai passé tellement de temps chez les Di Salvio qu'il me considère comme sa petite sœur, sans plus.

Il s'imagine sûrement que je partage son sentiment de fraternité, mais en vérité, j'ai le béguin pour Alex depuis qu'il m'a aidée à me relever d'une vilaine chute sur une plaque de glace, dans la cour d'école, alors que j'étais en 2e année et lui, en cinquième. Raffie était absente ce jour-là, je m'en souviens parce que je m'étais sentie terriblement seule et honteuse sur le coup, quand tout le monde avait ri. Tout le monde sauf lui, qui m'avait plutôt tendu la main en souriant. Alex est un homme d'exception, un gentleman comme il ne s'en fait plus aujourd'hui.

Mais je ne dois surtout pas penser à lui. Je dois tourner mon attention sur quelque chose ou quelqu'un, et vite.

Pour me changer les idées, je choisis une scène avec Hugo, le personnage interprété par Victor Beauregard. Le beau comédien m'apparaît comme le candidat idéal pour détourner mon attention du grand frère de mon amie.

---

11. INT. JOUR. COULOIR MAISON.
ÉTAGE SUPÉRIEUR.

La fenêtre au bout du couloir laisse filtrer la lumière. Alix avance, éblouie par le soleil. Elle passe devant une porte ouverte. Une voix l'interpelle.

HUGO (voix hors champ)
Hé ! C'est toi, la Survivante ?

Alix revient sur ses pas et s'arrête devant la chambre. Les rideaux sont tirés, la pièce est sombre. On distingue à peine Hugo. Il est étendu sur son lit, les mains croisées derrière la tête.

HUGO
C'est vrai cette histoire-là de lumière au bout d'un tunnel ?

ALIX
J'ai pas envie d'en parler.

HUGO
Ça veut dire que c'est vrai...
Shit ! Ils avaient raison, les cons.

Alix recommence à marcher. Le soleil n'entre plus par la fenêtre, au bout du couloir.

ALIX (dans un murmure)
Non. C'est toi qui es con.

Je ne suis pas certaine de comprendre cette scène. La dernière réplique d'Hugo me laisse pensive. Qui sont «les cons» dont il parle? Je pourrais appeler Yann pour lui demander, mais je suis gênée de le déranger pour une simple question. Mieux vaudrait attendre le tournage.

J'aurais espéré assister à une répétition avec les autres comédiens avant le jour J, mais je n'ai reçu aucune convocation. Ne me reste plus qu'à espérer que ma prochaine occasion de jouer avec Victor sera moins angoissante que la première... Chaque fois que je repasse le fil de mon audition dans ma tête, j'ai l'impression de nager en plein cauchemar. Yann m'a pourtant assuré qu'il y avait une réelle chimie entre le bel acteur et moi, mais je n'arrive pas à me faire à l'idée.

La vibration de mon téléphone cellulaire me fait sursauter. J'ai reçu un texto. Et l'expéditeur n'est nul autre que...

Victor Beauregard.

« Salut Charlotte, alias Alix-la-Survivante ! Yann dit que tu es déjà en ville. Je suis libre aujourd'hui, fais-moi signe si tu veux qu'on répète ensemble. Vic »

Yann n'avait peut-être pas tort, finalement. Il existe bel et bien une chimie entre mon partenaire de jeu et moi, si on arrive à faire de la télépathie !

Gonflée d'assurance, je vais me planter devant ma mère comme si rien ne pouvait s'opposer à un tel signe du destin.

— Maman, est-ce que je pourrais sortir ? Victor propose qu'on se rencontre chez lui pour répéter. Il en arrache avec une des scènes qu'on doit jouer ensemble…

J'aurais dû réfléchir un peu avant de parler, ça m'aurait évité de lui servir un mensonge aussi grossier. Il en arrache ?! Le contraire aurait été plus subtil et surtout, plus près de la vérité. Selon Wikipédia, Victor Beauregard a fait ses premières apparitions à la télé dès son enfance. Sur le site de BAM-TV, on affirme qu'il est, à seize ans, l'acteur le plus talentueux et le plus « poly-valent » de sa génération (il fallait bien sûr que les rédacteurs fassent un jeu de mots pourri avec le titre de l'émission *Poly-po-poli*).

Victor est un professionnel. Il n'a besoin de l'aide de personne, surtout pas de moi. Maman ne semble toutefois pas relever cette incongruité flagrante, trop occupée à jouer son rôle de prédilection - mère poule - et à me demander si ses parents sont à la maison.

Mais qu'est-ce que j'en sais ? Je n'allais certainement pas envoyer un texto à Victor et encore moins l'appeler pour lui demander ! Je me surprends tout de même à lâcher, désinvolte :

— Évidemment qu'ils sont là.

— Tu es sûre ?

— Oui. Je les ai entendus, euh... se chicaner derrière.

Mauvaise idée. Très, très mauvaise idée.

— Se chicaner, hein ? Je pense pas que ce soit un environnement très sain pour toi. Pourquoi tu l'inviterais pas plutôt ici ?

— Oh, maman ! T'es pas sérieuse ? Ce gars-là est mon idole, pas question qu'on le reçoive au milieu des valises !

J'ai joué la carte de la fierté, sachant que je toucherais un point sensible avec mon argument de groupie. Comme de fait, ma mère acquiesce lentement avant de se résigner.

— Rappelle-le pour lui demander son adresse. Je vais aller te reconduire. Mais si j'entends le moindre bruit suspect, je te ramène direct à l'appartement !

— Merci, maman ! Je te promets que tu le regretteras pas.

Se pourrait-il que l'oisillon ait trouvé le moyen de quitter son nid, le temps d'un après-midi en bonne compagnie ? Ça vaudrait bien un petit mensonge, n'est-ce pas, papi ?

(Je me permets ici d'ouvrir une parenthèse parce qu'il serait trop long de te raconter ma visite chez Victor et que je dois vraiment aller dormir si je veux être en forme, demain. Disons simplement que maman n'a pas eu besoin de mettre sa menace à exécution, finalement. Une bonne femme joviale sortait du triplex comme j'y entrais. Victor a été un hôte formidable. Nous avons répété un peu, jasé beaucoup, et ri, surtout ! Le bel acteur de *Poly-po-poli* n'est pas du tout comme je l'imaginais. Il est différent, mais en mieux. J'y reviendrai. Fin de la parenthèse.)

6

10 juillet, 4 h 55
Montréal, 1er jour de tournage (déjà !)

Je me lève avant l'aube, à une heure que même les coqs jugeraient indécente. Je prends une douche tiède pour me réveiller sans trop me brusquer, puis je m'habille en vitesse.

Déjà l'heure de partir.

La production a bien spécifié que je dois me présenter au tournage sans maquillage ni coiffure. Ça tombe bien ; je ne me maquille jamais et je n'aurais pas le temps de sécher mes cheveux, même s'il m'en prenait l'envie. La dernière chose que je voudrais, c'est arriver en retard à ma première journée sur le plateau d'*Une famille à l'envers*.

Ma mère suit les indications du GPS en conduisant comme Schumacher avant son long coma, à la différence qu'on dirait qu'elle en émerge, du coma, à en juger par son air confus et ses traits tirés. On devine encore la trace laissée par la couture de sa taie d'oreiller sur son visage, fripé comme jamais.

On aperçoit bientôt le périmètre délimité pour le tournage et – ô miracle ! – une place de stationnement à proximité. J'observe maman à la dérobée en me laissant guider par elle, qui suit les pancartes fléchées. Elle est aussi stressée que moi, sinon plus. Je m'en veux un peu de lui imposer toutes ces émotions fortes.

Une femme prénommée Mélanie vient nous accueillir avec le sourire éclatant (lire énervant) de ceux qui ont l'habitude de se lever tôt. Aucune trace de taie d'oreiller sur son visage bien éveillé. Elle se présente comme étant la régisseuse de plateau, puis elle nous conduit jusqu'à la porte de ma loge, sur laquelle on peut lire :

Charlotte Houle : ALIX
N° 1

— Il doit y avoir une erreur. Ma fille s'appelle Charlotte Lemieux.

— Je ne sais pas quoi vous dire, madame. C'est l'information qu'on m'a fournie. Vous pouvez peut-être aller vous renseigner à la régie ?

J'ignore pourquoi ma mère en fait tout un plat, mais elle décide d'aller s'en plaindre directement auprès de Cruella. Après un marathon infructueux entre les roulottes, on finit par trouver la productrice derrière un camion de location, occupée à griller une cigarette.

Quand ma mère lui demande des explications, Anna-Cruella n'a manifestement pas besoin de réfléchir trop longtemps à son « éloquente » argumentation. Elle semble même l'avoir appris par cœur et maintes fois répété comme une avocate, son plaidoyer.

— Écoutez, je suis productrice depuis vingt ans. Je connais la machine, les rouages, je sais parfaitement ce que veut le public. Et vous serez d'accord avec moi que Charlotte Lemieux, ça ne fait pas très cinématographique.

— Ma fille est une actrice, madame. Pas un personnage ! Qu'est-ce que ça peut faire si son nom sonne pas comme au cinéma ?

— C'est une décision qui vient d'en haut, voyez-vous. Je n'ai pas vraiment de contrôle là-dessus.

— Vous auriez pu nous consulter, au moins !

— Oh mais je l'ai fait, cette clause figure au contrat. Mais ne vous en faites pas. Par respect pour votre famille, j'ai demandé à ma recherchiste de s'en tenir à votre arbre généalogique. Tanya m'a assuré que l'arrière-arrière-grand-mère de Charlotte était une Houle.

Anna se tourne vers moi et fait un pas dans ma direction ou plutôt, celle du cendrier, pour écraser sa cigarette de ses longs doigts jaunes.

— D'ailleurs, je suis certaine que tu vas me remercier un jour, ma belle. L'actrice et mannequin Charlotte Le Bon n'aurait jamais fait carrière en

France si elle s'était appelée Charlotte Bigras ou Charlotte Paquette. Donne-toi une chance de percer ! Tout le monde s'entend pour dire que Charlotte Houle, c'est fluide. Ça coule. C'est beaucoup moins... enfin, beaucoup plus... harmonieux que Lemieux.

Elle a beau prendre le temps de chercher ses mots, même un compliment devient une insulte dans la bouche de cette femme. À mes oreilles, le nom choisi par sa recherchiste sonne comme une langue étrangère, parlée dans un pays très lointain comme la Bulgarie ou la Croatie. Charlottehoule ! À croire que ça s'écrit en un seul mot ! Mais « Lemieux » serait de m'avouer vaincue. Pour aujourd'hui, du moins.

De toute façon, je suis à nouveau happée par une Mélanie déjà à bout de souffle et à bout de nerfs. Il n'est même pas 6 h. La journée va être longue.

— Charlotte ! Je t'ai cherchée partout, tu es attendue d'urgence au CCM !

Tandis qu'on trottine d'un pas inégal en tentant tant bien que mal de la suivre, la régisseuse nous explique que « CCM » est l'acronyme de Costume, Coiffure, Maquillage. Ça me rassure un peu ; après un échange aussi « Houleux » avec la productrice, je commençais à craindre qu'on me conduise au Comité des Comédiens

Manqués. Le premier arrêt s'annonce toutefois éprouvant. Je n'ai aucune envie de revoir la costumière et son regard de tueur à gages.

J'angoisse déjà en imaginant l'accueil qu'elle me réserve et les vêtements qu'elle me fera porter. Kate est-elle retournée échanger les morceaux qui ne faisaient pas, comme prévu, ou me réserve-t-elle une surprise ? Dès que j'entends sa voix mielleuse me saluer, à l'instant même où j'entre dans la pièce, j'ai la confirmation qu'elle ne m'a pas encore pardonné. Pire : qu'elle m'en fera baver.

J'en ressors cinq minutes plus tard encore plus dévastée qu'à l'essayage. Ce n'est pas tant mon look grunge qui me préoccupe. Je les trouve même plutôt cools ces jeans noirs déchirés à la cuisse et aux genoux, et ce t-shirt ample *Nevermind* du groupe Nirvana qui dérange ma mère parce qu'il représente un bébé flambant nu dans une piscine, les bras tendus vers un dollar américain. En temps normal, ça m'amuserait de voir son air scandalisé.

Mais je suis bien trop à cran.

Parce que Kate a osé couper le bracelet que je n'enlève jamais, celui que m'a offert Raffie en gage d'amitié l'été de nos onze ans. La costumière a prétexté qu'il jurait avec le style vestimentaire d'Alix et paraissait trop moderne pour 1994, l'année durant laquelle se déroule l'histoire d'*Une famille à l'envers*. Je sais bien qu'elle dit vrai, mais pourquoi prendre autant de plaisir à passer les ciseaux dans mon bijou de pacotille, si elle le devine précieux à mes yeux ? Cette femme est une sorcière. Une sorcière rancunière, il va sans dire.

Une fois passée sous le pinceau expert de Linda, la maquilleuse, et sous les coups de peigne virtuoses de Luis Miguel, le coiffeur *muy caliente*, je retrouve enfin le sourire. Même si je n'ai pas l'habitude de me voir maquillée, je dois admettre que le résultat est plutôt réussi. Je n'irais pas jusqu'à dire que je me trouve belle, mais je crois davantage maman lorsqu'elle dit que je vais crever l'écran. L'épaisse couche de mascara et le trait de crayon couleur charbon font ressortir le marron clair de mes yeux. L'huile capillaire appliquée sur ma tignasse savamment ébouriffée accentue les reflets caramel de mes cheveux bouclés. On ne pourra pas m'accuser d'avoir menti à propos de la couleur de mes yeux et de mes cheveux sur ma fiche d'audition, c'est déjà ça de gagné. Je sens d'ailleurs que je me suis déjà attiré la sympathie de Linda et de Luis Miguel, car ces deux-là ne tarissent pas d'éloges à mon égard.

— T'es belle à croquer ! Une vraie petite poupée !

— *Sííí ! Una muñeca preciosa !*

Mais je ne suis manifestement pas la seule à leur faire cet effet. Je croise Victor en sortant de la roulotte et, tandis qu'il me salue d'une voix rocailleuse de gars qui s'est levé du mauvais pied, j'entends la maquilleuse et le coiffeur s'épivarder :

— Hon ! Si c'est pas le beau Victor.

— Est-ce que yé suis correct ? s'inquiète inutilement le Guatémaltèque en se recoiffant face au miroir.

Partout où il passe, Victor Beauregard fait tourner les têtes. Il est séduisant et paraît toujours sûr de lui, mais j'ai découvert un gars super simple et terre à terre en allant répéter chez lui, l'autre fois. Un intellectuel, qui vit seul - sans parents ! - avec comme uniques compagnons les livres qu'il accumule en quantité industrielle et qu'il empile contre les murs comme de petits gratte-ciel. Ce n'est pas exactement comme ça que j'imaginais l'appartement du beau gars de service de BAM-TV. Il m'a, entre autres choses, avoué que se lever aussi tôt est ce qui le dérange le plus dans son métier. Ça explique sans doute sa voix rauque et son air renfrogné.

Je n'ai pas le temps d'investiguer davantage, Mélanie m'attend de pied ferme devant le CCM.

Je sens qu'elle ne me lâchera pas d'une semelle de tout l'été, celle-là. Aussi bien m'habituer.

Comme c'est ma première expérience de tournage, la production a engagé quelqu'un pour m'aider à être la plus naturelle possible devant la caméra. Yann prétend que c'est inutile, mais le grand patron parisien a insisté pour acheter à distance la paix avec Anna. Preuve que tout s'achète, ici-bas. Sur le plateau, je dois rencontrer mon coach, un certain Claude, mais Mélanie reçoit de nouvelles instructions dans son casque d'écoute et décide finalement de nous laisser en plan, ma mère et moi. Avant de filer comme une voleuse, elle pointe un doigt expéditif vers la ruche de techniciens qui s'activent une trentaine de mètres plus loin.

— T'as qu'à chercher une grande gueule aux cheveux blonds assez courts. C'est facile !

Évidemment. Je vais le trouver les yeux fermés, les doigts dans le nez. J'en suis persuadée.

Je balaie la foule du regard, de la gauche vers la droite : un chauve en retrait, deux femmes en plein centre, un rouquin bedonnant et un homme à la tête poivre et sel discutant avec un grand blond. Le voilà ! Je suis sûre qu'il s'agit de Claude, même s'il fait un peu jeune pour porter ce prénom. Mon petit cousin de quatre ans s'appelle bien Eugène...

J'avance vers lui d'un pas décidé, mais quelqu'un stoppe mon élan.

— C'est moi que tu cherches, la p'tite ?

Je me retourne vivement pour tomber nez à nez avec une femme plutôt corpulente âgée d'une cinquantaine d'années.

— Euh, ça me surprendrait. Je cherche un homme qui s'appelle Claude.

— C'est mon nom.

— Ah. C'est vous le... la coach ?

— Oui, c'est moi, mais lâche-moi tout de suite le « vous ». Tu m'as déjà prise pour un homme, pas besoin de m'insulter encore plus en me traitant de vieille !

Je recule d'un pas tandis qu'elle éclate de rire devant mon air ahuri. J'en conclus qu'elle n'est pas vraiment fâchée, juste un peu fêlée.

Claude propose qu'on répète la première scène ensemble pendant que les techniciens finissent de mettre en place les projecteurs et les caméras. Je demande à ma mère de nous laisser seules. Ça me gêne qu'elle soit là à nous regarder, le visage fendu d'un sourire idiot. Je me sens comme la pire des sans-cœur en la voyant repartir vers ma loge (ou celle de Charlottehoule, mon alter ego bulgare), mais je ravale ma culpabilité, puis j'acquiesce pour signifier à Claude que je suis prête à commencer. Je suis tellement nerveuse que j'en oublie de reprendre mon souffle entre les répliques. Je dois commencer à être bleue parce que ma coach m'interrompt de façon surprenante.

— Respire, viarge ! Je suis essoufflée rien qu'à t'écouter !

Le moins que je puisse dire, c'est qu'elle ne fait pas dans la dentelle. Tout un personnage, cette Claude ! Elle porte bien son prénom, remarque ; la baptiser Céline ou Claire aurait été une insulte à la féminité. Je n'ai rien contre le fait qu'elle s'exprime avec la finesse d'un ouvrier en pleine canicule, je ne m'attendais tout simplement pas à ça d'une coach aussi réputée. Paraît qu'elle est la meilleure dans le domaine, j'espère qu'elle saura faire de moi une bonne comédienne... ou une bonne actrice, devrais-je dire, parce que les scènes que j'aurai à jouer dans le film sont tout, sauf comiques. *Une famille à l'envers* est un drame dans la pure tradition du film québécois, avec des jurons bien sentis et beaucoup plus de larmes que de sang versé. Pas d'explosion ni de train qui déraille, mais une scène de nudité assez dérangeante, des enfants maltraités et une overdose particulièrement violente. Un film qui prend aux tripes, comme tu dirais, papi.

Je suis bientôt appelée sur le plateau, nous sommes fin prêts à tourner. Curieusement, je ne ressens presque plus d'anxiété. Bon, j'ai déjà été plus détendue, mais ça va beaucoup mieux depuis que Claude m'a rappelé l'importance de respirer.

Avant qu'on rejoigne les autres acteurs, elle me glisse à l'oreille :

— Petit conseil : fais attention à tes pieds. J'ai remarqué qu'ils ont tendance à pointer vers l'intérieur. Je connais des actrices qui ont perdu des contrats pour moins que ça...

Ouch ! Cette femme est impitoyable. Mais je suis persuadée qu'elle a un grand cœur, au fond. Si elle avait voulu m'humilier, elle n'aurait pas chuchoté, elle l'aurait dit à haute voix pour être entendue de tous. Non, elle n'est pas mal intentionnée. Je serais même prête à parier qu'elle est de mon côté, contrairement à la productrice et à la costumière.

Mon intuition se confirme lorsqu'elle me présente enfin au couple d'acteurs qui incarneront mes parents d'accueil dans le film. Ils forment le couple chouchou du cinéma québécois, amoureux dans la vie comme à l'écran, et pourtant c'est moi qui deviens le centre d'attention alors qu'on me désigne comme étant « Charlotte, la Perle rare de la Côte-Nord ».

J'ai l'impression de rêver.

Une perle rare, moi ? Claude cherchait peut-être à piquer leur curiosité, mais ça fonctionne ! Ils me disent en chœur qu'ils sont enchantés et je retourne la politesse entre deux gloussements nerveux. Je me sens rougir de la tête aux pieds.

C'est d'ailleurs dans la contemplation de mes souliers (ou ceux d'Alix) que je me perds, à défaut de trouver quelque chose d'intelligent à ajouter. Mes pieds ne sont pas si croches, il me semble. Claude exagère.

Émilie Chartier aussi, lorsqu'elle affirme :

— En tout cas c'est un honneur de jouer à tes côtés, Charlotte-la-perle-rare !

Et son partenaire, qui confirme.

— Absolument !

Soit ils me lèchent les bottes, soit j'hallucine. Dans le doute, je garde la tête baissée jusqu'à ce que notre réalisateur vienne me tirer d'embarras.

— Vous avez rencontré ma petite protégée, c'est super ! Maintenant, au boulot ! Tout le monde en première position. Charlotte, suis-moi, je vais t'indiquer la tienne.

Il m'entraîne dans la pièce voisine (que je devrai traverser à « Action ! »), puis m'abandonne après m'avoir confié à voix basse :

— Je compte sur toi pour leur prouver que j'avais raison de te choisir.

Bonjour, pression ! N'empêche que cette première expérience de tournage s'annonce bien moins catastrophique que je ne le craignais. Non seulement ma famille fictive est géniale, mais ces artistes que j'admire se disent honorés de me côtoyer, à croire que les rôles ont été inversés !

Oui, c'est le monde à l'envers...

7

12 juillet, 10 h 31
Montréal, 3e jour de torture. Euh, de tournage.

— Coupez ! interrompt le réalisateur d'une voix tranchante.

Merde. J'ai tout fait foirer. Plus j'essaie d'être naturelle, pire c'est. J'aimerais dire que la première semaine de tournage se déroule à merveille, mais je ne suis pas naïve au point de croire que ma présence ici fait le bonheur de tout le monde.

— Trouvez-moi la costumière. Tout de suite !

Une femme que je devine être l'assistante du réalisateur crache dans son walkie-talkie :

— Kate, emmène ton cul sur le plateau. Le réal veut te voir.

La réponse ne tarde pas à se faire sentir dans un grésillement.

— C'est bon. J'arrive !

Un déclic se fait dans ma tête. Depuis le premier jour, je cherche à comprendre qui est ce fameux Réal dont tout le monde parle. J'imaginais un technicien d'une cinquantaine d'années, un genre d'homme à tout faire. Mais non. Le Réal en question est nul autre que le réalisateur. Ça ne prenait pourtant pas le QI d'une ingénieure en aéronautique pour faire le lien entre le diminutif et le titre occupé par Yann Thomas !

D'ailleurs, je suis soulagée qu'il ait enfin remarqué qu'on m'a habillée comme la chienne à Jacques (ou à Réal). Il n'a fait aucun commentaire sur les tenues que j'ai dû porter jusqu'à présent, dont celle de la dernière scène qui était franchement vulgaire, aux dires de ma mère. Si elle s'était remise du t-shirt de Nirvana avec le bébé nu, ma nouvelle tenue - un mini-bustier à imprimé léopard agencé à un short tellement court et serré qu'il laissait entrevoir la naissance de mes fesses - lui a causé toute une commotion. Désolée de te dire ça, grand-papa, mais tu en aurais perdu ton dentier, je crois.

Pour te donner une idée de l'indécence de ma tenue, une des figurantes a failli se désarticuler la mâchoire en me voyant arriver sur le plateau, tantôt. Elle a bien fini par refermer la bouche, mais a continué à me dévisager avec ses yeux de merlan frit, et je l'ai sentie gênée pour moi, elle, une fille d'à peu près mon âge. Alors inutile de préciser que Claude, ma coach féministe, n'a pas tardé à se manifester !

Je sens que ça va chauffer pour la costumière. Et c'est tant mieux pour elle. Dire que cette frustrée m'en veut encore de lui avoir fourni les mauvaises mensurations sur ma fiche d'identification !

— Kate, pourrais-tu m'expliquer pourquoi Alix ressemble à une danseuse nue?! Elle a douze ans, bordel!

Difficile de justifier un tel manque de jugement. Comment la sorcière rancunière pourrait-elle s'en sortir? En me faisant prendre le blâme, évidemment.

— Désolée, Yann. Je voulais t'en parler avant, mais... Charlotte nous a joué un vilain tour sur sa fiche d'audition. J'ai échangé ce que je pouvais et j'ai essayé de retaper le reste des costumes, mais c'est pas évident de faire passer Alix de small à medium en aussi peu de temps!

Et vlan dans les dents. Devant toute l'équipe technique, les acteurs et les figurants, elle vient de tuer ma crédibilité d'un seul coup de poing bien senti, pile où ça fait mal: dans l'ego. À ce rythme, la Perle rare de la Côte-Nord pourrait bientôt devenir une espèce en voie d'extinction.

* * *

12 juillet, 19 h 53
Montréal, 3e jour de tournage (suite et fin... ou « ENFIN ! », devrais-je dire)

Je suis soulagée de pouvoir enfin me réfugier dans ma loge, en fin de journée. J'ai les pieds en compote et la tête qui veut exploser. On a beau dire des comédiens qu'ils «jouent» un rôle, je réalise un peu plus chaque jour qui passe qu'un tournage est tout, sauf une partie de plaisir.

Mon personnage me fait des misères, j'ai encore du mal à le cerner. Alix est une adolescente tourmentée dotée d'une intelligence vive et d'une personnalité très complexe (plus que la mienne, en tout cas). Elle peut se montrer très dure, imperturbable, puis se révéler fragile et vulnérable, la scène suivante. C'est à n'y rien comprendre ! Elle est indépendante et farouche comme un chat de gouttière, mais plus influençable que le pire des chiens de poche. La preuve: Alix a fait une tentative de suicide pour la simple raison que son idole Kurt Cobain, chanteur du groupe Nirvana, a lui-même choisi d'en finir avec la vie ! Elle doit être le genre de fille qui répond «oui» quand un adulte lui demande, sarcastique:

– Coudonc, si ton ami(e) se jette en bas du pont, le fais-tu toi aussi ?

Yann m'a offert *In Utero*, le troisième et dernier album de Nirvana, et m'a conseillé de m'imprégner de leur musique pour capter l'essence de mon personnage, saisir l'ampleur de sa mélancolie. Je ne suis pas trop certaine de comprendre ce qu'il entend par là, mais ça viendra. En tout cas, j'espère !

J'étais justement en train d'écouter l'album quand j'ai croisé Victor, tantôt. J'ai fait semblant d'être surprise de le voir, même si je le suivais depuis quelques mètres déjà, prise d'un élan de curiosité irrépressible. Je ne comprends pas l'attraction que ce gars exerce sur moi. Je ne l'aime pas, j'en suis certaine, mais je ne peux nier qu'il me fascine au point de faire une vraie folle de moi. C'est peut-être la chanson *Heart-Shaped Box* et son refrain qui m'ont inconsciemment conduite vers lui :

Hey !
Wait !
I've got a new complaint
Forever in debt to your priceless advice
Hey !
Wait[1] *!*

Je n'avais pas tellement faim, encore moins pour des cochonneries bourrées de calories, mais je cherchais à justifier ma filature, alors je lui ai servi un prétexte bidon pour engager la conversation :

---

1. Traduction libre : « Hey ! Attends ! J'ai une nouvelle plainte. Éternellement redevable pour ton précieux conseil. Hey ! Attends ! »

— Ah, salut Victor. Est-ce que tu sais s'il y a un dépanneur dans le coin ? J'ai envie de chips !

— Non, mais je sais qu'il y a le kraft pas loin. Et c'est gratuit.

Le kraft, c'est le nom donné à la cantine mobile sur les plateaux de tournage. Le nôtre est tenu par un jeune chef qui rivalise d'inventivité pour nous remplir la panse à longueur de journée. C'est à cause de lui que je dois faire autant d'exercice physique durant mes jours de congé.

Je ne sais pas si Victor a précisé que c'était gratuit en tenant pour acquis que je suis forcément pauvre parce que j'habite en région, mais ça m'étonnerait. Venant de quelqu'un d'autre, cette remarque aurait été plutôt insultante ; venant de lui, elle n'avait rien de blessant.

Après, il m'a parlé de son rêve de gamin : rouler en camping-car jusqu'à Tadoussac pour aller écouter le chant des baleines. C'est vraiment les mots qu'il a utilisés : « écouter le chant des baleines ». Dans sa bouche, ça sonnait tellement poétique que je n'ai pas osé péter sa bulle en lui disant que les ultrasons qu'elles émettent pour communiquer ne sont perceptibles que sous l'eau. À moins qu'il n'ait voulu faire référence aux jets d'air qu'elles recrachent par leur évent lorsqu'elles remontent à la surface ? Il y a toujours les postes d'écoute au Centre d'interprétation des mammifères marins, mais je doute que ce soit à la hauteur de ses attentes. Qu'importe, je ne voulais pas ternir son beau rêve bucolique.

Je me démaquille en vitesse pendant que ma mère m'attend à l'auto. Quand on cogne à ma porte, j'ai le réflexe de penser qu'elle s'est impatientée. La journée est finie. Qui d'autre viendrait me déranger à ma loge ?

Je me lève pour ouvrir, déjà prête à crier : « Calme-toi, j'arrive ! », mais c'est Yann, le réalisateur, qui se tient sur le pas de la porte, l'air grave. Je l'invite donc à entrer, curieuse de savoir ce qu'il a de si important à me dire.

— Comment ça se passe pour toi, jusqu'à présent ?

— Bien.

— Tu es sûre de ça ?

— Oui, oui.

— Y a personne qui te fait la vie dure sur le plateau ?

— Non, pas spécialement...

Yann fait un pas vers moi et pose sa main sur mon avant-bras. Je remarque alors qu'il a un étrange tatouage sur le sien. Je ne sais pas trop ce que ça représente, mais vu d'ici, ça ne ressemble à rien sinon à une tache.

— Charlotte, es-tu capable de garder un secret ?

Monsieur le réalisateur commence à m'inquiéter avec son interrogatoire de série B. À quoi ça rime, tout ça ? Je sais garder les secrets en général, mais s'il m'apprend qu'il est un tueur en série récidiviste et activement recherché par la police, je risque d'avoir un peu plus de mal à garder ça pour moi.

— Ce que je vais te dire doit absolument rester entre nous. Si les producteurs du film apprennent que je t'ai parlé de ça, ils seraient capables de me mettre sur leur liste noire. Ma carrière en dépend, tu comprends ?

— Oui.

C'est ce que je réponds, mais mon cerveau crie : « NON ! Pas pantoute ! »

— Je considère que tu as le droit de savoir que... (Il se racle la gorge.) T'étais pas censée avoir le rôle. C'est la nièce de la productrice qui devait interpréter Alix. Anna avait tout arrangé depuis le début, mais il y a eu un petit imprévu.

— Quoi ?

— Toi.

— Je... Je comprends pas.

— Dès que je t'ai vue, j'ai su que c'était toi, Alix. C'est à une adolescente comme toi que je pensais en écrivant le scénario. Victoria passe bien à l'écran, son jeu est juste, mais elle n'a pas ton authenticité ni ta candeur.

J'ai la bouche sèche. Mes yeux s'attardent sur sa main, toujours posée sur mon bras. Il doit sentir que sa proximité me rend mal à l'aise parce qu'il retire aussitôt sa main pour la passer dans ses cheveux d'un geste nerveux. J'ai besoin de m'asseoir. Je m'installe au bout du lit qui occupe presque toute ma loge et sur lequel je m'étends parfois, entre les scènes. Yann s'y assoit à son tour.

Il n'a peut-être pas senti mon malaise, finalement.

— Tu es Alix, pour moi c'est une évidence. Mais ça ne fait pas le bonheur de tout le monde sur le plateau, à commencer par Anna et sa nièce Victoria, qui va se joindre à nous à la fin du mois.

— Oui, je sais.

Victoria interprétera Noémie, la cousine d'Alix. Un personnage sans substance qui pose des questions insignifiantes comme « Qu'est-ce qui va pas ? » ou « À quoi tu penses, Alix ? ». Je la comprends d'être en furie. Camper ce rôle de soutien est un bien maigre prix de consolation pour une fille à qui on a fait miroiter le rôle principal. Heureusement, je n'aurai pas à croiser Victoria très souvent parce qu'elle n'a que six jours de tournage en tout et pour tout (j'ai vérifié dans le script).

— Écoute, Charlotte, je voulais que tu saches que je suis là, si tu as besoin de parler à quelqu'un. Tu peux toujours compter sur moi.

— C'est gentil, merci.

Le silence embarrassant qui s'installe entre nous me fait bondir sur mes deux pieds comme un ressort.

— Je dois partir. Ma mère m'attend.

— Je comprends. Je te retiens pas plus longtemps.

Il se lève à son tour et s'apprête à sortir de ma loge, mais c'est moi qui le retiens.

— Monsieur Thomas ?

Il éclate du même rire doux-amer que durant notre première (et dernière) conversation téléphonique.

— Appelle-moi Yann. Et que je t'entende jamais me vouvoyer !

Je dois dire qu'il est plutôt cool pour un réalisateur célèbre.

— Il y a quelque chose que je comprends pas. (Eh oui, encore...) Pourquoi les auditions étaient ouvertes au public si Victoria était déjà pressentie pour le rôle ?

— C'est une longue histoire. Anna s'est dit qu'un concours ferait un excellent coup de pub pour le film, et moi, j'espérais encore tomber sur un talent brut comme toi. Je l'ai laissée organiser ses fausses auditions parce que je voulais rencontrer du vrai monde. Des adolescentes ordinaires, mais qui sortent de l'ordinaire, si tu vois ce que je veux dire.

J'acquiesce pour lui signifier que j'ai saisi, et l'encourager à continuer.

— Ça nous arrangeait tous les deux, mais pas pour les mêmes raisons. Anna veut produire le prochain gros succès commercial, moi je veux diriger la prochaine étoile montante. Et je peux te dire que c'est pas Victoria ! J'ai menacé le grand patron d'abandonner le projet s'il m'imposait une comédienne que je veux pas. J'ai obtenu gain de cause, mais je me suis pas fait d'amis, disons.

La froideur d'Anna, l'attitude de sa nièce durant mon audition, la tension sur le plateau... Tout s'éclaire dans ma tête, malgré la fatigue avancée.

J'ai déjoué les plans machiavéliques de Cruella, mais j'hésite à m'en réjouir. Pour l'instant, je n'ai qu'une envie : dormir.

8

21 juillet, 13 h 11
Montréal, jour de congé
(pincez-moi, quelqu'un !)

— Pourquoi tu me parles jamais du tournage ?

Raffie est assise devant moi, mais ce n'est qu'une illusion. Des centaines de kilomètres sont engloutis par nos deux écrans et pourtant, Skype nous rapproche autant qu'il nous éloigne. Parce qu'au-delà de la distance physique et géographique, j'ai, sans le vouloir, dressé une barrière psychologique entre nous.

— Je sais pas trop quoi te raconter...

— Raconte-moi n'importe quoi. Tout m'intéresse !

— Ça me gêne. Je veux dire... t'aurais tout donné pour être à ma place. Je voudrais pas te rendre jalouse.

— Pourquoi je serais jalouse ? Je suis super contente pour toi !

L'un n'empêche pas l'autre, selon ma mère.

— Ouais, t'as raison. C'est niaiseux, mon affaire...

Depuis quand a-t-on des secrets, l'une pour l'autre ?

Je lui déballe tout, le bon comme le mauvais. Que le réalisateur et ma coach me surnomment la Perle rare de la Côte-Nord et que la productrice m'a rebaptisée Charlotte Houle. Que je me lève à quatre ou cinq heures presque tous les matins et que je travaille jusqu'à douze heures par jour. Que je suis toujours fatiguée et que je n'ai pas vraiment eu le temps de profiter de la ville, jusqu'à présent. Que la maquilleuse, le coiffeur et l'équipe technique me traitent comme une reine (ou une poupée de porcelaine ?), et que je mange à volonté, des trucs de fous que je n'avais jamais goûtés. Que je fais beaucoup d'exercice physique dans mes temps libres pour perdre les calories ingérées sur le plateau et ainsi éviter de me mettre la costumière à dos. Que ma mère ne me lâche pas d'une semelle, et que ça m'énerve autant que ça me rassure parce que je me sens foutrement seule et perdue, par moments. Que j'ai quand même de la chance de passer mes journées avec Émilie Chartier, Marc-Antoine Bibeau et Victor Beauregard qui est, soit dit en passant, encore plus sympathique et sexy qu'à la télé...

Je m'arrête pour reprendre mon souffle, prenant conscience que j'ai encore une fois oublié de respirer. Ça devient une vilaine habitude. Faudra y remédier.

Raffie en profite pour interrompre ma tirade et me rappeler qu'elle se débrouille très bien sans moi lorsqu'il s'agit de suivre les potins d'*Une famille à l'envers*, de loin.

— Il sort avec Victoria Belmont. Tu savais?

— Euh, non. D'où tu tiens ça?

Comment peut-elle être mieux informée que moi sur ce qui se passe en dehors du plateau?

— T'as pas vu les photos?! Attends. Je les retrouve et je te les envoie.

Un lien apparaît au bas de l'écran quelque trente-deux secondes plus tard. Source: Hollywood PQ, évidemment. C'est bel et bien Victoria Belmont qui apparaît sur mon écran, tout sourire, marchant aux côtés de Victor Beauregard dans une rue du centre-ville. Et encore cette chère Victoria replaçant une mèche de cheveux derrière l'oreille de Victor dans un café du Plateau Mont-Royal, du Mile End ou de n'importe quel autre quartier branché où l'on ne s'étonne pas trop de voir de jeunes acteurs partager un chocolat chaud et se minoucher...

— C'est clair qu'ils sont ensemble, non? avance mon amie.

— Bah, c'est évident. Ils sont sur la même photo.

Je fais l'idiote parce que je suis dans le déni.

— Je veux dire qu'ils forment un couple! insiste Raffie.

— Ça me surprendrait. Victor est pas superficiel au point de sortir avec une petite princesse comme elle...

S'il en est fou amoureux, il cache bien son jeu. Je le comprendrais, remarque (de cacher son jeu ET d'être fou amoureux). Ça me coûte de l'avouer, mais la princesse des bécosses fait un très joli paquet d'os. Victoria est vachement belle, c'est vrai. Froide et délicate comme un flocon de givre ; le genre de beauté qui plaît aux garçons.

Enfin, je présume...

Mais qu'est-ce que j'en sais, au fait ? Je me rends compte que je ne comprends pas grand-chose à l'amour, finalement. Aussi bien changer de sujet.

Je relance la conversation d'un banal :

— Ta famille va bien ?

— Oui. Alex va très bien, si c'est ce que tu veux savoir.

— Hein ? Pourquoi tu dis ça ? Je m'intéresse pas plus à ton frère qu'à tes parents !

— Ah non ? Donc j'imagine que ça t'intéressera pas de savoir qu'il s'est fait une blonde...

Mon cœur manque un battement, peut-être deux. Je me demande même s'il pourra se remettre à fonctionner normalement, un de ces jours.

— Cool ! Je la connais ?

Ma question se veut désintéressée, mais je feins l'enthousiasme de façon lamentable.

— Je pense pas, non, répond Raffie.

Telle que je la connais, elle reste volontairement évasive pour me tester. Non, je ne tomberai pas dans ton piège, Rafafouille-la-fripouille ! (Elle m'étriperait si elle savait que je mentionne son vieux surnom.)

— Dommage. Tu le salueras de ma part. Et tu salueras tes parents.

— Oui, tu peux compter sur moi. Je dirai à Alex que tu es contente pour lui.

— C'est ça.

Elle commence à me gêner avec ses sous-entendus et son petit sourire en coin ! Depuis quand Raffie me soupçonne-t-elle d'avoir le béguin pour son frère ? Difficile à évaluer, mais le meilleur moyen de m'en tirer serait de continuer à nier. Elle finira bien par croire que toute cette histoire n'était que le fruit de son imagination. Je change donc de sujet, encore une fois :

— Et toi, ça va ? Qu'est-ce que tu fais de ton été ?

Raffie accueille ma question dans un soupir languissant.

— Bah, pas grand-chose de spécial... Je passe beaucoup de temps avec ma cousine et ses amies. Y a mon père qui veut m'inscrire au Camp des Jeunes Explos, mais ça me tente pas trop.

— Pourquoi ?

— C'est une affaire de bolés, me semble. Pis tant qu'à dormir ailleurs que chez nous, j'aurais préféré aller plus loin que la Maison de la mer, t'sais...

— Viens me visiter à Montréal, à la place ! Je suis censée avoir quatre ou cinq jours de congé à la fin du mois d'août.

— C'est juste avant la rentrée, mes parents voudront jamais me laisser partir.

— Oh, je suis sûre que ma mère va trouver les bons mots pour convaincre la tienne !

— Euh, bonne chance pour convaincre Louve-Têtue, proteste spontanément Raffie.

— Pour revoir Quatre-Vents, Œil-Vif est prêt à relever le grand défi !

Elle pouffe de rire et moi aussi. Il y a bien longtemps qu'on n'avait pas évoqué ce conte amérindien qui nous fascinait tant pendant nos premières visites scolaires au Centre d'interprétation Archéo-Topo. On raffolait particulièrement de la réplique légendaire de Louve-Têtue, qu'on déclinait sous différentes intonations avec toujours plus d'intensité :

— Que vaut un vaurien ? Mille fois rien !

J'en ris encore, même si c'est un peu enfantin. On s'amusait bien durant ces excursions avec l'archéologue Titi sur la baie de la rivière des Grandes Bergeronnes ! C'est d'ailleurs sur le site d'Archéo-Topo que Raffie m'a offert ce fameux bracelet en gage d'amitié...

— En passant, la costumière qui m'haït la face s'est fait un grand plaisir de couper mon bracelet. Ben... ton bracelet.

— Quoi? Pas notre *Best Friends Forever*? réagit-elle en écarquillant les yeux.

En voyant sa tête dans le mini-cadre au bas de son écran, Raffie réalise combien sa réaction est ridicule et on ricane de plus belle, sachant pertinemment qu'on n'a plus l'âge de porter ce genre de bijou, encore moins de l'appeler ainsi.

— Ouais. Elle a dit que c'était pour les besoins du film, mais t'aurais dû voir sa face. Une vraie sadique !

— Bah, t'en fais pas avec ça. C'est pas ça qui va tuer notre amitié !

— Non. T'as raison.

Ce n'est pas un bracelet d'amitié perdu qui va nous séparer, et je ne laisserai pas la distance s'en mêler non plus. À partir d'aujourd'hui, je me fais la promesse d'appeler Raffie plus souvent.

Ce qu'il y a de bien avec la technologie, c'est qu'on n'a aucune raison de s'en passer quand on est loin de ceux qu'on aime (sauf si Untel en profite pour en aimer une autre en notre absence).

On raccroche quelques minutes plus tard avec la promesse de se reparler d'ici la fin de la semaine. La conversation vidéo avec ma meilleure amie m'a plongée dans un drôle d'état. Je ressens soudain le besoin de m'étendre sur mon lit pour encaisser les nouvelles.

Il me suffit de fermer les yeux pour que l'image d'Alessandro s'impose à moi. Je l'imagine en train d'embrasser une fille qui ressemble à Victoria dans un café identique à celui sur la photo du site Hollywood PQ. Le visage d'Alex se superpose à celui de Victor. Je cherche à chasser cette image, mais elle a pris ma rétine en otage ! Tout se confond dans mon esprit, j'ai l'impression de m'enfoncer dans un profond trou noir.

Puis, je repense à hier soir.

J'étais au salon avec ma mère. Il devait être huit ou neuf heures, on écoutait la télé. Même s'il faisait encore clair, je m'endormais déjà devant l'émission de métamorphose douteuse du Canal Madame quand maman a lancé une remarque en apparence anodine.

— Les femmes passent leur temps à se comparer entre elles, à envier ce que les autres ont et qu'elles n'ont pas. Me semble qu'on se fait du mal pour rien...

Je ne savais pas quoi répondre à ça. J'ai donc refermé les yeux pour me laisser sombrer dans le sommeil, mais un timide reniflement a retardé mes plans. Maman essuyait une larme.

— C'est l'émission qui te fait pleurer?

Elle a d'abord nié.

— Je pleure pas.

Puis elle s'est trahie:

— Eh non, c'est pas l'émission.

— C'est quoi?

— Isabelle m'a fait promettre de rien dire. Raffaella lui pardonnerait jamais si je t'en parlais...

Je ne sais pas ce qui est pire: apprendre que ma meilleure amie me cache quelque chose ou savoir que nos mères en savent plus que moi?

En la cuisinant un peu, maman a fini par avouer, à regret:

— Raffaella est peut-être moins forte que tu le penses. Elle est contente pour toi, c'est vrai, mais ça veut pas dire qu'elle t'envie pas. On contrôle pas toujours nos émotions, malheureusement.

Hélas non! Il y a bien longtemps que j'aurais fait une croix sur Alex, sinon. Si ma culpabilité envers mon amie s'était désamorcée, les confidences de maman l'ont aussitôt réactivée.

J'aurais dû aborder le sujet avec Raffie aujourd'hui, au lieu de faire comme si rien n'était. Je me suis laissé envahir par mes propres sentiments. On ne peut pas dire que j'ai été d'un grand réconfort pour elle.

Pendant que Raffie rêve de se retrouver devant la caméra, moi je rêve de les retrouver, elle et les autres. Papa, Nougat, grand-maman, toi et... Alex, évidemment.

Tout de mon village me manque : le vent qui souffle sur les berges, l'odeur du fleuve, l'horizon à perte de vue et même le silence apaisant, que je trouvais si déprimant. C'est tout dire !

Mes racines survivront-elles à un si gros déracinement ? Sans doute.

Je ne suis pas aussi fragile que je le crois.

9

23 juillet, 20 h 07
Montréal, 11e jour de tournage (suivi d'une invitation bien spéciale à souper...)

On pourrait croire que Victor Beauregard est superficiel parce qu'il est acteur et qu'il jouait le beau gars de service dans l'émission préférée des ados, ou parce qu'il est musclé et que son teint reste basané, hiver comme été. Mais il n'y a pas plus authentique que Victor.

Il aime beaucoup parler de la vie, mais il parle très peu de la sienne et lorsqu'il le fait, c'est toujours avec pudeur. À demi-mot. Il semble toutefois prêter l'oreille à tous ceux qui l'entourent, et je ne parle pas ici d'une déformation professionnelle d'acteur-observateur, mais d'une écoute sincère. Plus je passe de temps en sa compagnie, plus je découvre un être d'exception. Une vieille âme, comme tu dirais, grand-papa.

Même s'il ne s'ouvre pas facilement (et surtout pas à n'importe qui), j'ai réussi à lui soutirer quelques informations ici et là, entre deux prises et durant nos pauses-collation.

Victor n'a pas remis les pieds dans une « vraie » école depuis qu'il a décroché son rôle dans *Poly-po-poli*, à l'âge de douze ans, et pourtant, il est plus cultivé que bien des adultes de ma connaissance. Il continue de suivre des cours privés. Il lit beaucoup de classiques de la littérature française, de pièces de théâtre et de romans du terroir (ce qui signifie « de la terre », selon lui). En fait, il s'intéresse à toute forme d'art : au cinéma, à la musique, à la photographie et même aux arts martiaux comme l'aïkido ! C'est ce qui fait de lui une personne exceptionnelle, à mon avis. Je veux dire par là que c'est rare de rencontrer un garçon de seize ans aux goûts si variés. Victor connaît plein de choses (et de gens) dont la plupart des jeunes de notre âge n'ont jamais entendu parler.

On tournait une scène en extérieur, l'autre jour. Une scène toute courte qui aurait dû être toute simple ; le moment où mon personnage réalise enfin qu'il peut faire confiance à celui de Victor.

---

27. EXT. JOUR. BOULEVARD

Alix et Hugo marchent en silence, côte à côte. Alix s'apprête à traverser à l'intersection, mais le bras protecteur d'Hugo l'en empêche, lui évitant d'être happée par le cycliste qui passe devant eux à toute vitesse.

HUGO
Maintenant, est-ce que tu me crois
quand je dis que je suis là pour toi ?

Il lui prend la main et l'entraîne dans la rue. Alix se laisse guider par Hugo. Elle ferme les yeux, un sourire en coin.

Aucune réplique à apprendre. Rien de bien compliqué à faire sinon marcher, feindre la surprise et la peur, marcher (encore !), puis sourire à moitié, les yeux fermés.

— Imagine la Mona Lisa de Da Vinci éblouie par le soleil, m'avait conseillé Claude en guise de référence visuelle.

Le problème n'était pas le sourire. Non ! C'était mes pieds. J'appréhendais cette scène depuis le début de la journée, car je savais que je serais filmée en train de marcher.

Depuis que Claude m'a fait remarquer que mes pieds pointent vers l'intérieur, je ne vois que ça. J'en fais une véritable obsession. Je passe mon temps à les surveiller, comme si le fait de braquer mes yeux sur eux en permanence les empêcherait de dévier.

— Charlotte ? Y a quelque chose qui va pas ?

J'ai senti la main chaude de Victor se poser sur mon épaule.

— Hein ? Non, non. Rien.

— Qu'est-ce que t'as à fixer tes pieds comme ça ?

J'hésitais à lui confier mon nouveau complexe, mais Victor insistait et j'ai cédé.

— Ils sont croches. Tu viendras pas me faire croire que t'avais pas remarqué !

— Oui, mais c'est ce qui fait ton charme. Entre autres.

Je croyais qu'il se foutait de moi jusqu'à ce qu'il ajoute :

— Tu sais qu'au Japon, c'est une marque d'élégance d'avoir les pieds rentrés par en dedans ?

— Tu viens d'inventer ça pour me faire plaisir, je suppose.

— Absolument pas ! Il y a même un nom pour désigner ça : la démarche *uchimata*.

Sur le coup, j'étais sceptique, mais j'ai vérifié sur Google en rentrant à l'appartement ce jour-là et j'ai dû me rendre à l'évidence, il avait raison. Mes pieds sont à la mode au Japon. Ça m'a un peu réconciliée avec ce petit défaut de fabrication de savoir que c'est précisément ce qui fait mon charme, selon Victor.

Ce soir, j'ai la désagréable impression que mon charme n'opère plus sur lui.

Notre charmant réalisateur nous a invités à souper, Victor et moi. Mais si mon ami est présent, ce n'est que physiquement parce que son esprit, lui, semble totalement absent...

Appelons-le Monsieur-Beauregard-perdu-dans-le-vide.

Du coin de l'œil, je le regarde picorer dans son assiette en me demandant à quoi il peut bien songer. On dirait que quelque chose le tracasse. Il pense peut-être à la belle et froide Victoria ? Lui qui est d'ordinaire si sociable se révèle muet comme une carpe, pour une raison qui m'échappe. Victor était pourtant de bonne humeur sur le plateau aujourd'hui.

Curieusement, de mon côté, c'est plutôt l'inverse qui se produit. Autant je m'efface derrière mon personnage durant le tournage, autant je prends mes aises dans l'intimité de l'appartement chaleureux de Yann Thomas et de sa douce moitié.

J'ai toujours été sensible à l'atmosphère qui se dégage d'un lieu, et je n'ai ressenti que de bonnes énergies. La première chose que j'ai remarquée en entrant, ce sont les étonnantes décorations qui tapissent les murs de l'appartement.

Je ne me suis pas gênée pour le souligner, d'ailleurs.

— C'est drôle ! Il y a plein d'affiches de OUI, sur tes murs...

— Ouais. C'est mon petit côté nostalgique... ou optimiste, si tu veux ! m'a alors confié Yann d'un air espiègle. Je venais d'avoir dix-huit ans quand il y a eu le référendum, en 1995. J'ai gardé les affiches en souvenir parce que ç'a été ma façon à moi d'entamer ma vie d'adulte : en disant *oui*. On l'a pas eu, notre pays, mais c'est un moment historique dont je vais me souvenir toute ma vie.

À défaut d'être discrètes, les immenses affiches en coroplast garnies de marguerites et de signes de paix en guise de « O » sont parfaitement à l'image de l'idéaliste qui nous reçoit.

Yann partage sa vie avec Lucienda, son amoureuse des dernières années. Il est plutôt bel homme et bien connu du milieu artistique, je l'imaginais donc au bras d'une mannequin, d'une chanteuse pop ou d'une de ces actrices « bobo » du Plateau Mont-Royal. Au lieu de ça, il est fiancé à une chanteuse d'opéra qui n'a pas qu'une forte voix. La taille de Lucienda l'est tout autant, si tu vois ce que je veux dire, mais sa personnalité colorée me fait vite oublier son surplus de poids. La cantatrice est d'origine italienne comme le père de Raffie et, comme lui, elle a toujours le mot pour rire.

J'en ai la confirmation ultime lorsqu'elle nous raconte comment elle a raté sa sortie lors d'une représentation de *Tosca*, l'opéra dont elle tenait le rôle-titre. Après son chant tragique, à la toute fin du spectacle, Lucienda-Tosca devait se laisser tomber dans le vide derrière la scène, où un tapis de coussins amortissait généralement sa chute. Je dis bien « généralement » parce qu'un soir, l'équipe technique a eu la brillante idée de remplacer le tapis de coussins par un trampoline, pensant sans doute rendre l'atterrissage de la plantureuse chanteuse moins douloureux. Ç'aurait pu fonctionner, si ce n'était la force de gravité...

— Je pense que j'ai rebondi deux cent quatre-vingt-dix-huit fois avant de mourir. C'est le suicide le moins crédible de l'histoire de l'opéra !

J'imagine la réaction des spectateurs passer de la tristesse à la stupeur en moins d'une seconde, leurs yeux s'agrandir en voyant Tosca revenir à la vie, encore et encore... c'est plus fort que moi, je pouffe de rire comme une gamine ! Par chance, je viens d'avaler ma gorgée d'eau, sinon j'éclabousserais Lucienda, assise devant moi. Une façon plutôt maladroite de lui témoigner ma gratitude pour son hospitalité et sa joie de vivre contagieuse.

Je comprends pourquoi Yann a succombé à son charme. Cette femme est un rayon de soleil. Non, un soleil entier. Il n'y a pas que ses formes qui soient généreuses, tout chez elle respire la bonté. Son joli visage, son regard lumineux, son rire communicatif.

Ces deux-là sont faits l'un pour l'autre.

Je me sens étonnamment bien chez eux, je suis en parfaite confiance, alors je parle, je parle et je parle. De tout et de rien, sans arrêt. Je suis un vrai moulin à paroles !

Ce n'est pas tous les jours qu'on me fait l'honneur d'être conviée à la table d'un grand réalisateur. Alors rien de plus normal que j'en profite, lorsqu'il évoque une idée de court-métrage géniale qui mettrait en vedette Catherine-Anne Toupin et Suzanne Clément, pour vanter à l'excès les nombreux talents de Raffie avec l'espoir que Yann accepte de la faire auditionner dans un futur rapproché.

Je reste persuadée que je finirai bien par l'avoir, à l'usure. D'après le regard qu'il me décroche, Victor, lui, n'en est pas si sûr. Mais je m'en fous.

Ce soir, je me range du côté des optimistes.

10

29 juillet, 14 h 26
Montréal, 15e jour de tournage (suivi d'une autre invitation, encore plus spéciale !)

On a fini à 13 h aujourd'hui. C'est la première fois depuis le début du tournage que je suis libérée si tôt, mais au lieu de profiter du soleil radieux, je vais me geler les fesses dans une salle de cinéma.

Maman ne m'a pas vraiment laissé le choix, il faut dire...

Elle doit faire des courses et elle n'aime pas me savoir seule à errer dans les parcs de la ville comme une âme en peine. Ce sont les mots qu'elle a utilisés, pas les miens. Moi, je m'imaginais très bien en solitaire au parc La Fontaine à écouter ma musique en me faisant bronzer (tout habillée, on s'entend).

C'est toujours ce que j'envisage de faire, d'ailleurs. J'attends en file comme tout le monde pour acheter mon billet, mais quand j'arriverai au guichet, je ferai semblant d'avoir perdu mon argent. Ça me fera gagner du temps pendant que ma mère s'éloigne. Je ne voudrais pas la croiser au prochain coin de rue, quand même !

Cela dit, je vais devoir faire vite parce que je n'ai pas une seconde à perdre. Selon Google Maps, douze minutes de marche, soit vingt-quatre minutes aller-retour, me séparent de ma destination. Mes gougounes me ralentissent et je n'ai que deux petites heures à ma disposition.

La file n'est pas trop longue, juste parfaite. J'aime observer les gens qui m'entourent quand j'attends. Ça passe le temps. Et maintenant que j'interprète un rôle sérieux au cinéma (!), ça me plaît d'imaginer que je fais des recherches pour mon personnage et pour ceux à venir. Madame Sylviane dit que les plus grands acteurs sont de fins observateurs, alors je me retourne pour observer les inconnus qui font la queue derrière moi. C'est à ce moment précis que je l'aperçois.

Victor.

À moins que ce ne soit un sosie ?

Dur à dire. Le visage du garçon est à moitié dissimulé sous son capuchon.

Je ne l'ai jamais vu porter ce genre de veste, mais c'est bien sa silhouette et sa posture : ce dos très droit, ces épaules larges en dépit de sa petite taille. Il ne fait aucun doute que c'est lui.

— Victor !!! Qu'est-ce que tu fais ici ?

Je cède ma place dans la file pour le rejoindre. Si mon partenaire de jeu essayait de passer incognito pour éviter d'être dérangé par des groupies, c'est tant pis. Le beau comédien est démasqué.

— Je viens voir un film, quelle question ! Toi aussi, visiblement.

— Oui !

— Sans ta mère ???

Je peux lire l'étonnement dans son regard. Comme s'il lui était inconcevable que je puisse être seule. Je lui dis pour les courses, mais je lui cache mes intentions initiales de fugue au parc, préférant tout à coup passer l'après-midi en sa compagnie.

C'est justement lui qui décide, sans le savoir, du film qu'on ira voir aujourd'hui. Mon partenaire de jeu (et de cinéma !) prononce un titre interminable et je prétends que c'est ce que je venais regarder aussi. Ma réponse semble le satisfaire. C'est bientôt notre tour d'acheter les billets et Victor-le-gentleman me laisse passer la première, j'avance donc jusqu'au guichet derrière lequel se tient un ado boutonneux à peine plus vieux que moi.

— C'est un film classé treize ans et plus, me dit celui-ci, croyant sans doute m'apprendre quelque chose.

— Je sais.

— Ça va me prendre une carte d'identité.

— Hein ? Pourquoi ?

Victor me chuchote à l'oreille, amusé :

— Je pense que t'es en train de te faire carter, ma belle Charlotte.

J'ai l'impression que l'ado boutonneux me regarde de haut même s'il est assis sur un tabouret et donc légèrement en contrebas (comme quoi tout est une question d'attitude). Mes mains cherchent mon portefeuille dans mon sac fourre-tout, mais je sais d'avance que je n'y trouverai rien d'autre que ma carte débit, ma carte de membre à la bibliothèque municipale des Bergeronnes et les vingt dollars que maman m'a filés.

— J'ai aucune pièce d'identité sur moi. Mais je vous jure que j'ai quatorze ans ! que je réplique, un peu honteuse.

Je dois faire pitié à voir parce que Victor se porte aussitôt à ma défense :

— Voyons, tu la reconnais pas ? C'est la tête d'affiche du prochain film de Yann Thomas. Elle s'appelle Charlotte Houle, elle a quatorze ans, c'est écrit dans tous les journaux à potins !

Mon ami exagère sur le dernier point. J'ai accordé une entrevue au quotidien *La Paperasse* et l'immense photo publiée dans le cahier cinéma a été reprise par quelques magazines, sans plus. Je le trouve néanmoins très convaincant, même s'il a employé mon nom d'actrice bulgare au lieu de décliner ma véritable identité. Le commis, lui, n'en démord pas ; il refuse de me vendre un billet sans une preuve formelle de mon âge. On finit donc par acheter deux entrées pour le nouveau film d'animation de Pixar. Même si je le préfère au film choisi par Victor, ça me gêne qu'il soit forcé à regarder un film pour enfants par ma faute.

Histoire de me faire pardonner, j'achète un immense sac de pop-corn et une chaudière de Pepsi à partager avec lui.

— Sers-toi, hein ! Je mangerai pas tout ça ! que je lui dis en m'enfonçant dans le siège voisin.

Il ne se fait pas prier pour piger dans le maïs soufflé.

— Je peux te demander quelque chose, Charlotte ?

— Ben oui !

— Elle t'étouffe pas, ta mère ? Je sais pas, mais il me semble qu'elle marche toujours sur tes talons...

— Oui, mais on s'habitue.

— Moi, ça m'étoufferait, je pense.

Il met le doigt sur quelque chose, mais je n'ai pas envie de lui donner raison. J'aurais l'impression de trahir maman. C'est pourquoi je m'empresse de faire dévier la conversation.

— C'est bizarre, je te vois jamais avec tes parents.

— Non, je les ai sortis de ma vie.

— Hein ! Qu'est-ce qu'ils ont fait ?

— Ils m'ont volé. Tout. Tout ce que j'avais acquis en faisant du doublage, en jouant dans des films, en incarnant Louis dans *Poly-po-poli*.

Je m'étouffe presque en avalant de travers ma gorgée de Pepsi. J'ai sûrement mal compris. Ou Victor s'est mal exprimé.

— Ils t'ont volé ? Comment ça ?

— Je sais pas. Je leur faisais confiance. Ils disaient qu'ils déposaient tous les chèques dans un compte à mon nom. Mais non. Ils encaissaient tout l'argent !

— Ben voyons, donc ! Il me semble que ç'a pas de bon sens.

— Ils trouvaient que ça leur revenait. C'est eux qui me conduisaient aux auditions, c'est eux qui m'amenaient sur les plateaux de tournage, c'est eux qui ont payé tous mes cours...

— Ben, comme n'importe quels parents...

— Surveille ta mère, Charlotte.

— Ma mère me ferait jamais ça.

— C'est ce que je me disais, moi aussi.

Sa révélation me laisse pensive. Je suis sous le choc, à dire vrai. Quel genre de parent volerait son propre enfant ? J'ai beau croire que maman n'oserait jamais poser un tel geste, les paroles de Victor ont réussi à semer le doute dans mon esprit. Des dizaines de questions se bousculent dans ma tête. J'ai besoin de mettre cette histoire au clair.

— Mais là, je comprends pas bien. Tu les as sortis de ta vie ?

— Oui. J'ai découvert ça y a quelques mois. Je voulais retirer de l'argent de mon compte pour m'acheter un ordi. J'avais pas les fonds. J'ai compris que mes parents avaient profité de leur procuration pour piger dans mon argent. Pis qu'ils faisaient ça depuis toujours.

— Pour faire quoi avec ?

— Des voyages. Depuis que je suis petit qu'ils se payent chaque année un voyage sur mon bras. Moi, je croyais que c'était leur argent. Mais non, c'était le mien. Avec mon cash, en plein pendant que je travaillais, mes parents ont visité l'Italie, la Corse, l'Angleterre, la France, le Maroc, l'Égypte, la Tunisie, le Mexique et le Brésil. Et moi, le plus loin que je suis allé, c'est en Abitibi pour un tournage. Disons que c'est dur à digérer, ce genre de trahison-là.

— Ouin, j'imagine. Donc, là, tu fais quoi ?

— Je repars à neuf. J'ai pas besoin d'eux. Ma nouvelle famille, c'est Marie-Ginette, mon agente.

Jamais elle profiterait de moi, elle. Elle m'aime pour vrai.

Ses confidences me chagrinent. Pour mettre un baume sur sa peine, j'avance, incertaine :

— Peut-être que tes parents t'aiment pour vrai aussi ? Et qu'ils ont juste fait des gaffes...

— Ça fait neuf ans qu'ils font des gaffes. À un moment donné, un gars se tanne de faire rire de lui.

Malgré ses explications, je n'arrive toujours pas à me faire à l'idée que des parents puissent volontairement flouer leur fils. Il y a quand même des limites à la cupidité ! Ces deux-là doivent s'en mordre les doigts...

— C'est triste de couper les ponts avec ses parents. Ils prennent ça comment ?

— Je sais pas. J'espère qu'ils prennent ça mal. C'est le premier été qu'ils ne pourront pas passer en Europe. Les pauvres, ils vont être obligés d'aller en Abitibi. Ça, c'est plus dans leurs moyens.

Le générique d'ouverture vient mettre un terme à notre discussion. Victor semble soulagé, comme s'il regrettait momentanément d'avoir abordé le sujet. J'en déduis qu'il doit parler de ces choses-là très rarement, et n'en suis que plus flattée d'avoir recueilli ses confidences.

Victor Beauregard me fait donc confiance ?

J'essaie tant bien que mal de fixer mon attention sur le film qui commence, mais c'est peine perdue. Mes pensées reviennent constamment à l'histoire de Victor et de ses parents. Je ne sais pas pourquoi cette trahison me trouble autant. Je n'ai aucune raison de soupçonner ma mère de quoi que ce soit et pourtant, mon échine est parcourue de frissons.

Victor se rend vite compte que je tremble puisqu'il m'offre sa veste avec un sourire bienveillant. Je n'ai pas vraiment froid, mais je n'ai pas envie de le vexer et encore moins de lui avouer ce qui me fait frissonner, alors je lance une banalité du genre :

— Je pensais pas qu'on mettait de l'air climatisé comme ça, au cinéma !

J'enfile la veste en regardant du coin de l'œil mon bon Samaritain continuer à s'empiffrer de pop-corn ultra-salé. Il a déjà calé la moitié du Pepsi, le p'tit maudit ! N'importe quelle fille fondrait comme du beurre à l'idée de boire à la même paille que Victor Beauregard, mais moi, ça ne me fait ni chaud ni froid. Je me réjouis du simple fait qu'il me considère comme une confidente et même comme une amie.

Je le trouve toujours aussi beau et sexy qu'à la télé maintenant que je le connais, mais il représente plus un grand frère qu'un amoureux potentiel à mes yeux... et pendant ce temps, je continue à me languir pour un gars qui lui, me considère comme sa petite sœur. Ouf! Ce n'est pas simple d'être enfant unique. Si j'avais un vrai frère, j'arrêterais peut-être d'en chercher un de remplacement!

Après la projection du film d'animation, on flâne dans le cinéma sachant que ma mère ne viendra pas me chercher avant dix bonnes minutes. J'en profite pour lâcher mon fou en imitant l'accent « sensual » de Luis Miguel pendant que Victor se bidonne. Je ne sais pas si c'est le film qui m'a fait cet effet, mais je me lance dans une impro des plus inspirées, mimant la façon qu'il a de gesticuler et de se déhancher quand il nous joue dans les cheveux. Je suis en feu ! Même Linda y passe. Mon imitation de la maquilleuse est presque parfaite, bien que la caricature soit un peu grotesque. Il faut dire que j'ai un bon public ; mon nouvel ami en redemande, encore et encore.

Puis, il tire soudainement une paire de billets de sa poche.

— Ça te dirait de m'accompagner à la première du drame musical *Les Misérables* ?

— Hein ? Qui ça ? Moi ?

— Ben oui, qui d'autre ?

— J'sais pas. Luis Miguel ?

On éclate d'un fou rire complice. J'ajoute spontanément :

— Je suis sûre qu'il dirait pas non à une soirée avec toi, en tout cas !

Ma blague pleine de sous-entendus n'obtient pas l'effet escompté. Le sourire de Victor se crispe tandis qu'il insiste :

— Donc, c'est oui ? Tu viens ?

— Mets-en !!!

Je saute littéralement de joie. Même dans mes rêves les plus fous, je ne m'imaginais pas sur le tapis rouge au bras de mon idole !

— Ta mère va vouloir, j'espère ?

— Que je la voie me dire non ! Je veux tellement aller à une première avec Victor Beauregard ! Je ca-po-te !! S'il le faut, je suis prête à donner tout mon cachet de tournage à ma mère pour qu'elle aille en Europe ! Mais je veux y aller !!!

Je regrette aussitôt ce que je viens de dire. Ce n'était pas très délicat de revenir sur la trahison de ses parents, mais Victor ne semble pas s'en formaliser. Je lui redonne sa veste en sondant son visage, à l'affût d'une réaction. Victor se contente de la porter à son nez pour la humer une fraction de seconde, comme s'il cherchait à y repérer mon odeur.

Mon partenaire de jeu serait-il sur le point de succomber à mon charme ? Il ne manquerait plus que ça pour que je devienne l'ennemie jurée de Victoria... Durant sa première journée de tournage, hier, la nièce de la productrice m'a clairement fait comprendre qu'elle ne me portait pas dans son cœur.

Parions qu'elle sera furieuse de savoir que j'ai passé l'après-midi au cinéma avec son chéri et qu'il m'a invitée à une grande première... Un point pour Charlotte ; zéro pour Victoria !

11

31 juillet (et je suis sur mon « 31 »... Comme quoi il n'y a pas de hasard, dans la vie.)
Montréal, 19 h 42

Maman me conduit à la première médiatique du drame musical *Les Misérables* au Théâtre St-Denis. Elle ne le dit pas, mais je devine qu'elle est déçue de ne pas y assister avec moi. Surtout depuis qu'elle sait que ses deux chanteuses préférées y tiennent la vedette : Ima dans le rôle de Fantine et Stéphanie Lapointe dans celui de Cosette.

Comme c'est Victor qui m'a offert le billet, c'est naturellement avec lui que j'y vais, n'en déplaise à ma sangsue de mère. Ça fait mon affaire d'échapper à ses ventouses le temps d'une soirée parce que je commence sérieusement à étouffer dans notre appartement montréalais. Inutile de dire que l'invitation de mon idole-devenu-ami tombe à point.

Je constate toutefois que monsieur Beauregard est en retard. Vilain garçon. Si elle note son absence, maman insistera sûrement pour l'attendre avec moi. Il faudra user de stratégie pour la convaincre de me laisser seule devant le Théâtre St-Denis. Heureusement que deux policiers en uniforme passent tout près de l'auto à l'instant même où elle coupe le moteur, après s'être garée quelques mètres derrière le camion de nouvelles TVA. Comme tu dirais, grand-papa : leur présence est un cadeau du ciel, ce serait péché de ne pas en profiter.

— Il y a de la police partout, maman. Même les journalistes sont là ! Dis-toi que s'il m'arrive quelque chose, tu vas le voir aux nouvelles.

— T'es pas drôle, Charlotte. Tu sais à quel point je me fais du souci pour toi.

— Oui, je sais. Mais je comprends pas pourquoi tu t'en fais autant, par contre !

— Parce que t'es mon bébé et que je t'aime.

J'en ai assez entendu (quand je parlais de ventouses...). J'ouvre la portière et m'extirpe du mieux que je peux de la voiture sans me fouler une cheville ni piétiner le bas de ma robe de mes talons trop hauts. Mission accomplie.

Avant que je ne déguerpisse, ma mère s'empresse de me tendre un billet de cinq dollars par la fenêtre ouverte en précisant :

— Pour t'acheter quelque chose à boire durant l'entracte. Pas d'alcool, hein ?

— Maman, même si je voulais de l'alcool, qu'est-ce que je pourrais acheter avec cinq piastres ? Une cannette de Labatt flat ?

C'est la bière qu'achète mon père. Je sais que ma mère l'a en horreur. Elle ne sait visiblement pas quoi répliquer à ça puisqu'elle rallume le moteur pour partir. Elle tourne les roues et, au dernier instant, me crie qu'elle m'attendra ici même à dix heures tapantes, allant même jusqu'à ajouter « avec tes amis policiers et journalistes, s'il le faut ! ». Elle exagère encore, mais je lui envoie quand même des becs soufflés pour la rassurer.

Toujours pas de Victor Beauregard en vue. Je me sens bien seule, tout à coup. Je me place en retrait pour ne pas incommoder les journalistes ni le travail des photographes qui s'activent déjà sur le tapis rouge, où quelques flashs timides crépitent à l'arrivée des stars ponctuelles, qui se font plutôt rares. Une rumeur court selon laquelle les vedettes aiment se faire attendre... Tiens, tiens. La foule de curieux (c'est-à-dire ceux qui n'ont pas de billets) s'agglutine de l'autre côté de ces mêmes barrières que j'ai pu franchir grâce à mon laissez-passer. Merci Victor !

Je n'en reviens tout simplement pas qu'il m'ait invitée, MOI, à l'accompagner à une première médiatique... et Raffie non plus, d'ailleurs. Je m'étais juré de ne pas lui dire, mais je me suis échappée en lui parlant sur Skype, hier. Il ne fait plus aucun doute qu'elle m'en veut, cette fois. Pour elle, c'est une chose de jouer dans un film, c'en est une autre de se frôler au gratin artistique.

Le seul gratin dont elle a pu s'approcher, c'est celui cuisiné par son père d'après la recette ancestrale de la *bisnonna*[1]. J'ai parfois l'impression que Raffie rêve d'être comédienne juste pour le plaisir d'être connue, et non de jouer. La preuve, c'est qu'elle s'intéresse plus à ce qui se passe entre les acteurs qu'à ce qui arrive à leurs personnages ! Ça m'agace un peu de l'avouer, mais mon amie et moi ne partageons pas du tout la même vision du métier.

Qu'importe. Je savoure l'attente de mon cavalier en mode « observation », question d'alimenter mon jeu d'actrice et l'appétit de ma meilleure amie pour les potins. Mais l'étoile de Victor ne scintille toujours pas dans le firmament médiatique de ce soir...

Je l'attends depuis neuf grosses minutes (ou dix petites, disons) quand un mendiant envahit mon champ de vision en faisant tinter les pièces sales dans son gobelet de café pour attirer mon attention. Il est de l'autre côté de la barrière, avec les curieux et les indésirables. Je pourrais l'ignorer, mais il est trop près de moi pour que je prétende ne pas l'avoir vu ni entendu.

— Z'auriez pas un peu de monnaie, ma petite demoiselle ?

---

1. Arrière-grand-mère.

Je me rapproche, pour une raison obscure que je ne saurais m'expliquer. (Ma mère ne serait pas fière de moi, je sais.)

— Euh, non. J'ai pas d'argent sur moi, désolée.

— C'est pas beau mentir. Ça rend les jolies filles comme toi laides laides laides.

— Hein ?

— J'ai vu ta grande sœur te donner un billet de cinq ou de dix piastres, tantôt.

Maman serait flattée d'apprendre qu'elle peut encore passer pour ma sœur, à quarante-deux ans, mais je n'en frissonne pas moins à l'idée d'avoir été espionnée par cet homme crasseux. Qu'est-ce qu'il me veut, celui-là ?

— Euh... C'est pas de vos affaires, m-m-monsieur ! que je bafouille.

Crédibilité : moins deux.

— Dis-moé donc que tu veux pas partager au lieu de faire semblant que t'as rien. L'honnêteté, ç'a jamais tué personne, ma p'tite dame !

Je rêve ou un vieux-pas-propre qui s'amuse à épier les jeunes filles est en train de me faire la morale ? C'est du délire ! Je décide néanmoins d'acheter la paix en lui filant mon billet (de cinq dollars, pas de spectacle), mais c'est avec un pincement au cœur que je le regarde s'éloigner d'un pas léger. Mine de rien, je viens de me faire taxer par un clochard un peu trop rusé. De me faire plumer comme une poule pas de tête ! Je suis une lâche. J'ai eu ce que je mérite.

Pour me racheter un minimum de dignité, je lui crie :

— C'est ça ! Va donc t'acheter une cannette de Labatt flat !

Il ne se retourne pas, et ma dignité ne revient pas non plus.

Comme si je ne me sentais pas assez pitoyable, je réalise qu'il est presque 20 h et qu'il ne reste plus grand monde à l'extérieur. En me rapprochant de l'entrée du Théâtre St-Denis, j'aperçois des gens qui jacassent dans le hall, d'autres qui continuent de prendre la pose pour les photographes. Je crois même qu'on vient d'annoncer l'ouverture des portes puisque je vois deux files se former de part et d'autre de la billetterie.

Devant moi, Herby Moreau conclut son entrevue avec la superbe Karine Vanasse. Victor n'est toujours pas arrivé. Je me demande ce qu'il fait... Nous aurait-il oubliés, *Les Misérables* et moi ? Le meilleur moyen de le savoir serait de lui envoyer un texto. Il ne peut qu'avoir une bonne explication pour justifier son retard. Dès qu'il m'aura répondu, il sera aussi vite pardonné.

Les yeux rivés sur mon écran à rédiger mon message, je ne vois pas le photographe qui recule dangereusement pour s'assurer d'un meilleur cadrage. Quand il passe à un poil de me renverser et/ou de me piétiner, je n'ai d'autre choix que de lever le nez en poussant un cri de souris piégée.

Le photographe me demande pardon sans trop s'épancher, mais son attitude change du tout au tout lorsqu'il me reconnaît.

— C'est pas toi, la fille de la Côte-Nord qui va jouer dans le prochain film de Yann Thomas? demande-t-il en mettant l'accent sur le «s» final, comme si prononcer le nom à l'anglaise lui donnait plus de prestige.

— Oui, c'est moi, que j'admets en rougissant.

— Tu es venue seule?

— Non. J'attends Victor Beauregard.

Le regard qu'il me sert m'indique que j'aurais peut-être dû me taire...

— Je veux pas te faire de peine, ma belle, mais ça me surprendrait qu'il vienne. Le p'tit Beauregard a la réputation de briser bien des cœurs. T'es sûrement pas la première à qui il fait le coup...

— Oh, c'est pas ce que vous croyez! On est juste amis.

— Si tu le dis.

Je me détourne légèrement pour relire et envoyer le texto à mon A-M-I.

«T'es où, Victor? Suis devant le théâtre, un peu à droite (à côté d'Herby Moreau). Toi?»

Un silence embarrassant s'installe entre le photojournaliste et moi alors que les secondes s'égrènent péniblement dans l'attente d'une réponse de Victor. Je cherche à le joindre une dernière fois, en vain. Je me résigne à laisser un message dans sa boîte vocale.

Le photographe a sans doute raison; mon ami ne viendra pas. On m'a passé un sapin. Ou posé un lapin? Je ne sais plus quelle expression convient tellement je suis confuse, tellement j'ai de la difficulté à croire qu'il m'a laissée tomber, lui, monsieur Parfait! Cette invitation de Victor, c'était bien trop beau pour être vrai.

— Le spectacle va bientôt commencer, tu ferais mieux de rentrer avant qu'il soit trop tard.

Je n'ai même plus envie d'y assister, à présent. Ça doit se lire sur mon visage parce que le photojournaliste propose:

— Allez, une petite photo et on rentre! Fais-moi confiance! C'est le drame musical le plus attendu de l'année, tu regretteras pas d'y être allée. Même seule.

Je me prête au jeu sans grande conviction tandis que l'homme pointe la commissure de ses lèvres en étirant le sourire pour m'inciter à faire pareil. Bel effort, kid-kodak. Je ne donne pas cher de la photographie qu'il va en tirer, mais c'est l'intention qui compte, comme on dit.

J'entre finalement dans la salle, puis je prends place à côté du siège laissé vide par Victor. Je me sens seule et ridicule. Ridiculement seule. C'est la dernière fois que j'accepte une invitation de Victor Beauregard à une première médiatique. Peu importe le drame qui se jouera sur scène, personne n'arrivera à me faire croire qu'il existe plus misérable que moi, ce soir.

12

5 août, 11 h 42
Montréal, 20e jour de tournage (à saveur de macaroni au fromage...)

Je dîne souvent seule depuis que maman a découvert les joies d'avoir un gym à domicile et moi, un chauffeur privé pour assurer tous mes déplacements, les jours de tournage.

C'est Victor qui m'a mis en contact avec Roger, le chauffeur engagé par la production. Mon ami voulait sans doute se racheter, après s'être confondu en excuses pour m'avoir fait faux bond à la première des *Misérables*. Je n'ai pas très bien compris ce qui l'a empêché de venir ce soir-là, ses explications manquaient de clarté, mais je lui ai tout pardonné parce qu'il paraissait sincèrement désolé.

Victor dîne rarement sur les lieux de tournage. Je ne saurais dire où il va... Justine se joint parfois à moi, mais je préfère de loin manger en solo que d'avoir à me farcir ses décomptes stupides. Pour faire court, en plus d'être la sœur de Mathieu, le jeune garçon qui interprète Jérémie, Justine est aussi figurante dans *Une famille à l'envers*. Celle-là même qui s'était décroché la mâchoire en me voyant déambuler dans mon costume de léopard, au début du tournage. Justine prend son rôle tellement à cœur que notre gentil réalisateur s'est arrangé pour qu'elle ait un maximum de scènes à tourner (onze, très exactement). Elle en a presque autant que son petit frère, qui a décroché un rôle parlant. Inutile de dire que la plus motivée des figurantes est aux anges ! Tellement qu'elle a recensé le nombre de fois où Yann lui a serré la main (une) ; le nombre de fois où Émilie, l'actrice vedette, l'a saluée (sept) et le nombre de fois où les yeux de Marc-Antoine, le mari de l'actrice vedette, se sont posés sur elle (une douzaine environ, mais elle ne pourrait dire avec certitude puisqu'elle a perdu le compte sous le coup de l'émotion).

J'étais super gênée qu'elle m'avoue tout ça alors qu'on se connaît à peine, je lui ai donc gentiment conseillé de ne pas répéter son histoire à des gens comme Victoria. C'était pour son bien, mais je crois qu'elle l'a mal digéré parce que je n'ai pas revu Justine depuis. Il faut dire qu'on tourne surtout des scènes d'intérieur ces jours-ci. Je verrais mal une figurante apparaître dans la chambre d'Alix ou au beau milieu de la cuisine du foyer d'accueil.

J'entre dans le centre communautaire qui nous sert de camp de base, ces jours-ci. La cantine est déserte, ou presque, car je remarque la présence de Victoria. Paquet d'os est la première arrivée, ce qui n'est guère étonnant quand on sait qu'elle n'a qu'une poignée de scènes à tourner... contrairement à moi, qui n'arrête pas une seconde. La pauvre, elle doit vraiment se « tourner » les pouces ! Elle picore sa salade, assise à une table en retrait, et son air m'inspire quelque chose comme de la pitié.

Cette fille est plus que jolie – et bien sympathique aussi, à en croire Victor –, mais je continue de croire qu'elle est profondément malheureuse. Il suffit de voir cette lueur trouble qui brouille son regard. Même sur la photo du paparazzi où on la voit en train de rire avec Victor, dans la rue, ses yeux n'expriment rien de joyeux. On dirait deux minuscules écrans de télé enneigés. *Avis à tous nos téléspectateurs, nous éprouvons actuellement des problèmes techniques, veuillez nous excuser d'interrompre votre émission préférée.*

J'arrête au buffet pour me servir une généreuse portion de macaroni, après quoi mes pieds me portent vers elle sans que je le veuille vraiment. Comme quoi la pitié est un aimant relativement puissant. Je voudrais trouver le courage de faire demi-tour, mais je m'arrête déjà devant sa table. Elle me semblait si loin, pourtant. Victoria me dévisage, j'en déduis que c'est sa façon à elle de m'encourager à briser la glace, alors je lance la première chose qui me passe par la tête :

— Je suis tellement contente de manger du macaroni !

— ...

— Ça me rappelle un peu les Bergeronnes ! C'est de là que je viens, les Bergeronnes. C'est sur la Côte-Nord. Bon, le macaroni de mon père est pas mal meilleur, mais celui-là fait quand même l'affaire !

Victoria m'adresse un sourire poli, l'air de dire « c'est pas que je m'en fous, mais... ».

— Je me sens loin de chez nous, on dirait. C'est vrai que c'est loin en titi de Montréal, la Côte-Nord ! C'est normal, tu penses, que je me sente... perdue, Victoria ? C'est ça ton nom, Victoria ?

Je fais l'innocente, mais pas autant qu'elle, qui me sourit encore en faisant « hum hum », comme si cette simple réponse suffisait.

Je t'ai posé une question, au cas où tu ne l'aurais pas remarqué !

Mais elle l'esquive royalement, optant plutôt pour une offensive :

— Euh, Charlotte, tu sais que tu peux en reprendre du macaroni ? C'est... à volonté.

Bon. Encore une autre qui tient pour acquis que je suis pauvre parce que j'habite en région ! C'est quoi ces stéréotypes à la con ?

Je fais semblant de rire pour lui faire croire que son mépris ne m'atteint pas. Ha. Ha. Ha. Je suis indestructible.

— Oui, je sais, je mange vraiment beaucoup. Mais c'est à cause de ma mère. Elle me fait faire du sport sans arrêt depuis qu'on a mis les pieds à Montréal ! Tiens, par exemple, durant ma journée de congé hier, on est allées à la piscine, on a fait une heure de yoga et quatorze kilomètres de jogging sur le mont Royal ! Ma mère a insisté pour qu'on grimpe le mont Royal et à cause d'elle, j'ai été obligée d'avaler des antihistaminiques. J'ai des allergies au pollen, c'est pour ça ! Ma mère pense que toute actrice qui se respecte doit bouger un peu. Mais j'appelle pu ça bouger un peu ! Je suis sûrement rendue plus en forme que Joannie Rochette ! T'sais, la patineuse artistique ?

Qu'est-ce qui me prend de lui raconter tout ça ? J'ai perdu la tête, ou quoi ?

— Je sais qui est Joannie Rochette, merci, ironise Victoria. Et je sais qui est ta mère et... je te plains un peu, à vrai dire.

Elle me plaint, moi ? J'ai envie de hurler : « NON, C'EST MOI QUI TE PLAINS, PAUVRE

TACHE ! » Mais je sais qu'elle a raison, d'une certaine façon. C'est vrai que ma mère est insupportable, parfois. Sauf que personne d'autre que moi n'a le droit de le penser, encore moins de le dire.

— Tu me détestes depuis la première fois que tu m'as vue, Victoria Beaumont. Je t'ai rien fait !

Elle ne daigne même pas me regarder, obnubilée qu'elle est par la contemplation de sa salade.

— Belmont, je m'appelle Victoria B-E-L-M-O-N-T.

J'aurais envie de lui faire bouffer par le nez, sa salade. Mais je me contente de lui cracher les premières insultes qui me viennent à l'esprit :

— T'es vraiment une petite snob, Victoria ! C'est vrai ce que le monde raconte à ton sujet, au fond. En plus, t'es laide avec tes broches !

Un enfant de cinq ans n'aurait pas fait mieux. Comme si ce n'était pas assez, j'apporte le coup de grâce en ajoutant :

— Je vais retourner à ma loge, Victor m'attend pour répéter.

Je prends bien soin d'appuyer sur Victor, en détachant bien les deux syllabes de son prénom pour sentir ma langue claquer contre mon palais et donner plus d'effet à ma réplique. Je ne suis pas dupe. J'ai remarqué les regards de tourterelle que Victoria lance à Victor durant ses rares apparitions sur le plateau.

— Peut-être, mais Victor a pas l'air de les détester mes broches, lui. En tout cas, c'est moi qui ai passé la soirée chez lui jeudi passé, dans son appartement, et c'est moi qu'il a invitée pour l'accompagner au cirque, le 28 août !

— Je te crois pas. Victor aurait pas une seconde à perdre avec une fille comme toi.

Si elle dit vrai, Victor a préféré rester chez lui avec elle plutôt qu'assister au drame musical *Les Misérables* avec moi...

Je bondis sur mes pieds pour lui signifier que la discussion est close. Mais par un phénomène extraordinaire, la boucle de ma ceinture heurte la table, entraînant le cabaret ainsi que mon assiette dans son mouvement. Un phénomène d'autant plus extraordinaire que mon restant de macaroni trop liquide vient s'échouer sur les cuisses et la poitrine quasi inexistante de ma rivale. Voir Victoria Belmont aussi dégoulinante et barbouillée, ça n'a pas de prix. Un pur délice pour les yeux ! J'en ressens une satisfaction nettement supérieure à celle qu'exerçait le macaroni sur mes papilles...

Je n'ai pas de pitié pour les frimeuses, encore moins pour celles qui insultent ma mère. Le paquet d'os peut bien gratiner en enfer !

Flairant sans doute la chicane (ou l'odeur persistante du fromage), voilà Cruella qui rapplique pour se porter à la défense de sa nièce.

— Les filles, je vois que vous faites connaissance... Tout se passe bien ?

— Oui, madame Anna. J'ai eu un petit accident, hein, Victoria ? que je réponds en ne lâchant pas le paquet d'os des yeux.

Victoria confirme ma version des faits :

— Oui, c'est ça, rien de grave, tante Anna. On allait justement répéter une scène avant la fin du dîner.

Cruella ne croit pas notre histoire, si on se fie à son regard suspicieux. Heureusement, la sonnerie de son téléphone la contraint de nous ficher la paix.

— Voyons donc ! C'est quoi ça ? Ah oui, c'est ma nouvelle sonnerie ! Oh, c'est monsieur Lachaise ! Les filles, faut que je le prenne, ça fait mille fois que je lui dis que tout se passe bien sur le plateau, mais il s'inquiète. Je vais lui dire que vous êtes même devenues amies, ça va le rassurer. Tout est sous contrôle !

Victoria et moi, des amies ? C'est sans contredit la meilleure blague de l'été.

La vilaine productrice s'éloigne d'un pas vigoureux, comme en témoigne le martèlement de ses talons hauts sur le sol. Sa nièce et elle ont réussi à me couper l'appétit. Aussi bien retourner à ma loge et retrouver mes esprits avant la reprise du tournage. La prochaine scène sera particulièrement éprouvante ; je devrai simuler l'une des crises les plus explosives d'Alix, alors qu'Hugo tente de la brutaliser. Pas question que je me laisse distraire par une stupide chicane avec la mini-boss des bécosses. Je devrais, au contraire, canaliser ma colère et m'en servir pour exprimer toute la rage qui consume Alix.

Tandis que sa voix parvient jusqu'à moi, je remarque qu'une petite flaque de macaronis s'est formée aux pieds de Victoria.

— Charlotte, tu salueras Victor de ma part. Dis-lui que j'ai hâte à la fin du mois ! Je suis jamais allée au cirque et je suis tout à fait disponible... à bien y penser.

Et elle s'éloigne dans le sillon de sa tante. La princesse à broches pense vraiment que je vais jouer les messagères pour elle ?

Je me croyais groupie, mais Victoria, elle, est carrément obsédée par lui. Je n'en ai franchement rien à foutre de sa soirée avec Victor. Quoique...

Ça me donne une petite idée.

13

11 août, 13 h 02
Montréal, 24ᵉ jour de tournage (Scène 33, prise 72. Niveau de patience : 0)

Je respirerais bien par le nez, mais il est complètement bouché. Mauvaise journée pour être zen.

Sur le plateau, on raconte qu'Arthur Lachaise, le grand patron de la boîte de production, est venu directement de Paris pour me rencontrer. Il a bien choisi son moment, le Français ! Si je voulais faire bonne impression, c'est raté.

Je suis une larve ambulante.

C'est quoi l'idée d'attraper une grippe en plein mois d'août ? Pire : en plein tournage ! Linda doit faire des retouches majeures à mon maquillage entre chaque prise tellement je suis dégoulinante de partout. Mais il y a des limites aux miracles qu'elle peut faire avec une trousse de cosmétiques... La pauvre semble aussi désemparée que moi, et avec raison : on tourne la même scène depuis près de cinq heures. Cinq heures ! Chaque fois qu'on reprend, je suis incapable de me retenir d'éternuer assez longtemps pour prononcer ma seule et unique réplique : « Oui, Québec, c'est le bout du monde quand on a douze ans et pas de permis de conduire ! »

J'aurais préféré tourner cette scène avec n'importe qui d'autre, mais c'est Victoria qui me donne la réplique, et la princesse s'en réjouit. Elle jubile de me voir les yeux rougis et la goutte au nez, et ne se donne même pas la peine de s'en cacher. Je m'en veux terriblement de lui donner cette satisfaction.

Je pourrais blâmer le climatiseur déréglé de l'appartement prêté par l'ami de Yann, ou l'écart de température entre la chaleur cuisante des projecteurs sur le plateau et la froideur des loges et du camp de base. Mais ça ne changerait rien au fait que j'éternue sans arrêt, que mes yeux sont des ruisseaux, mon nez, un érable au printemps et ma gorge, un volcan en éruption.

On ne m'avait pas prévenue que la grippe montréalaise était aussi féroce. La dernière fois que je me suis sentie aussi mal, c'est lors de ma première vraie réaction allergique au pollen, après une sortie de randonnée pédestre organisée par l'école. Je m'en souviens comme si c'était hier, je voulais mourir à force de cracher ma vie. Exactement comme aujourd'hui.

Et si cette fameuse grippe était une réaction allergique ? Ça expliquerait pourquoi les effets m'ont assaillie tout d'un coup, comme une armée de Vikings.

Qu'à cela ne tienne, je donne mon cent dix pour cent pour qu'on en finisse une bonne fois pour toutes avec cette satanée scène. Mes efforts sont enfin récompensés quand Yann annonce :

— Et c'est coupé ! Merci, mon Dieu, on l'a ! C'était pas parfait, mais on peut pas se permettre de perdre une seconde de plus avec cette scène. Charlotte, va te reposer dans ta loge. La journée est loin d'être finie pour toi !

Son soupir réprobateur me transperce le cœur.

— Je suis désolée, Yann, je sais pas ce qui m'arrive. Pourtant, c'est pas la saison des foins.

— Charlotte, va falloir aller voir un médecin si ça va pas mieux. On peut pas se permettre de perdre autant de temps, on n'a pas le budget pour ça. Allez, va te reposer.

Je ne me fais pas prier pour quitter le plateau. Je commence à en avoir assez de sentir tous les regards braqués sur moi, et particulièrement celui de monsieur Lachaise. L'air renfrogné qu'affiche le grand patron ne me dit rien qui vaille...

Mon état larvaire pourrait bien me coûter ma réputation. Qui sait ?

Il me faudrait mes comprimés d'antihistaminiques, mais c'est ma mère qui les garde avec elle dans son sac à main. Comme je suis sur le point de partir à sa recherche, elle me devance en faisant une apparition des plus remarquées sur le plateau. Je la vois se ruer vers nous le visage défiguré par la colère, enlaidie, bousculant accidentellement monsieur Lachaise au passage.

S'il me restait une infime possibilité de me racheter auprès de lui, ma mère vient sans contredit de pulvériser la dernière once de sympathie qu'il avait pour moi.

Elle s'est transformée en une lionne qui rugit :

— Je veux savoir QUI ! Qui a étalé du pollen de pissenlit partout dans la loge de Charlotte ?

Évidemment, sa question demeure sans réponse. Il aurait été plutôt étonnant que le coupable se manifeste aussi facilement. Mais ce n'est pas nécessaire, de toute façon, car je connais déjà l'auteure de ce sale coup. Et le plus beau dans tout ça, c'est qu'elle se tient juste devant moi.

Tandis qu'Anna-Cruella tente de sauver la face en entraînant ma mère loin de son très cher invité européen, j'en profite pour me venger de sa très chère nièce. Je me transforme à mon tour en lionne et fonce sur Victoria, toutes griffes sorties.

Je suis prête à mordre, mais je me contente de grogner entre mes dents :

— Victoria Belmont, si j'apprends que c'est toi qui as fait ça-a-a...

J'éternue à quelques centimètres de son visage. Même si c'était involontaire, je ne suis pas mécontente de l'avoir un peu éclaboussée.

— Hé, t'es pas bien ou quoi ?

Elle fait la tête de celle qui ne comprend pas pourquoi on l'accuse, elle est très peu crédible dans le rôle de l'offensée. Ça ne s'arrange pas du tout lorsqu'elle donne un léger coup de tête pour laisser ses cheveux retomber en cascade sur son dos avant de s'éloigner en me servant l'onomatopée préférée des indignés, un « Pfff» assez éloquent pour me faire comprendre qu'elle n'a pas pu trouver meilleur argument pour assurer sa défense. C'est pitoyable.

N'ayant toujours pas pris mon médicament contre les allergies, je retourne en vitesse à ma loge en espérant y trouver ma mère, mais pas de chance : elle n'est pas revenue et son sac à main, lui, n'est nulle part en vue. L'entretien privé avec Anna a assez duré, il me semble. Qu'est-ce qu'elles peuvent bien se raconter ?

Je ne devrais sans doute pas rester dans ma loge à l'attendre puisque c'est ici que Victoria a commis son méfait, mais je ne sais pas trop où aller sans risquer de tomber nez à nez avec monsieur Lachaise ou ma redoutable rivale aux instincts vandales. Il y a deux minutes à peine, elle discutait devant les roulottes avec Victor, comme si rien n'était. Victor n'a aucune scène à tourner aujourd'hui alors je me suis demandé ce qu'il faisait ici, mais je n'ai pas voulu lui poser la question pour plusieurs raisons évidentes :

1) Moins je m'approche de Victoria, mieux je me porte ;

2) Je ne suis pas amoureuse de Victor, mais j'ai assez d'orgueil pour lui épargner ma face de barbot raté (mon nez coule, mes yeux aussi, mon fond de teint et mon mascara ont fusionné en une espèce d'œuvre abstraite, alors oui, j'ai l'air d'avoir été dessinée par un enfant...) ;

3) Ça ne me regarde pas, ce qu'il est venu faire ici. Je ne suis pas fouineuse comme certaines, moi !

Non, mais... De quel droit Victoria s'est-elle permis d'entrer dans ma loge ? Et comment a-t-elle osé me faire le coup des pissenlits ? Provoquer une allergie chez quelqu'un, c'est criminel ! Ça peut entraîner la mort ! Bon, c'est un peu exagéré, je ne crois pas qu'il soit possible de mourir d'une réaction au pollen, mais on ne peut pas nier qu'elle m'a fait du tort en ruinant ma crédibilité auprès de monsieur Lachaise. Victor dit qu'il existe un cimetière Père Lachaise à Paris, le producteur pourrait bien être tenté d'y enterrer ma carrière...

Heureusement, ma mère ne tarde pas à me rejoindre à la loge avec ses antihistaminiques magiques.

— Tu devineras jamais ce qu'il vient de m'arriver ! clame-t-elle en ouvrant la porte.

Je n'ai même pas le loisir d'émettre le début d'une hypothèse. Elle change brusquement de sujet dès qu'elle découvre mon visage.

— Mon Dieu, Charlotte ! T'es-tu vue ?! Ton nez est tout rouge et tes yeux sont encore plus bouffis que tantôt. Maudites allergies ! On devrait pas rester ici, mais je suis trop gênée pour sortir...

Tiens, tiens. On est dans la même galère, on dirait. J'ignore si ça devrait me consoler ou m'inquiéter, j'aurais besoin d'en savoir plus pour me faire une tête. Je la vois qui s'active au-dessus de son sac à main, occupée à chercher je ne sais quoi.

— Avale ça, m'ordonne-t-elle enfin en brandissant un comprimé et une bouteille d'eau.

Je m'exécute sans broncher et m'empresse de revenir à la charge, sitôt la pilule avalée :

— Alors ?

— Alors quoi ?

Ma mère vire au cramoisi. Elle se mordille la lèvre inférieure comme une enfant prise en faute.

— Eh ben... Laisse-moi juste te dire que le monsieur Lachaise, il va s'en souvenir longtemps des filles de la Côte-Nord !

— Bon. Qu'est-ce que t'as fait, encore ?

— C'est pas moi, je le jure.

— C'est pas toi qui as fait quoi ? que je demande, impatiente.

— C'est pas moi qui ai ouvert la bouteille de vin.

— De quoi tu parles ? Je comprends rien !

— Le père du petit Jérémie m'a offert une coupe de vin pour décompresser, après ce qui venait de se passer. Il en avait déjà une à la main alors je me suis pas demandé d'où ça venait, j'ai accepté. On a levé nos verres pour trinquer, puis il est parti aussi vite. C'est à peine si j'ai eu le temps de boire une gorgée avec lui. J'étais en train de prendre ma deuxième ou troisième gorgée quand Mélanie est arrivée.

— Et... ?

J'attends la suite avec impatience même si ce que je vais entendre risque de me déplaire. Mélanie, la régisseuse ultra-efficace, a huit bras et des yeux tout le tour de la tête ; il est pratiquement impossible d'échapper à la toile de la femme-araignée.

— Elle m'a demandé si c'était moi qui avais ouvert la bouteille. J'ai dit non, mais toutes les apparences étaient contre moi... j'avais un verre dans les mains et j'étais seule dans la pièce ! Elle m'a demandé si je connaissais le vin que j'étais en train de déguster, j'ai encore répondu non. Elle m'a lancé un nom imprononçable que j'ai oublié... mais j'ai pas oublié le prix, par contre.

— Combien ? que je demande, même si je ne veux pas réellement connaître la réponse.

— Deux cent cinquante piastres ! Je voulais mourir quand elle m'a dit ça, Charlotte !

Moi aussi, en ce moment. Et pour couronner le tout, maman m'apprend que cette fameuse bouteille à deux cent cinquante dollars a été achetée par la production pour souligner l'arrivée de monsieur Lachaise, qui raffole de ce vin.

Aussi bien dire que je suis foutue. Même en changeant mon nom pour Charlotte Houle, je n'ai plus aucun espoir de faire carrière en France un jour.

— Mais... si c'est le père de Mathieu (Jérémie, c'est son personnage) qui a ouvert la bouteille, pourquoi c'est toi qui as pris le blâme ?

— Je pouvais pas le dénoncer. Ça se fait pas, entre adultes ! Il a eu le chic de se pousser à temps, l'innocent...

— Il est pas si innocent que ça, si tu veux mon avis. Il est même assez coupable !

Ma répartie détend un peu l'atmosphère. Maman a un petit rire mi-triste, mi-nerveux et je rigole avec elle, mais je suis vite interrompue par une violente quinte de toux. J'ai la gorge qui picote. Vivement que le médicament fasse son effet !

— Franchement. Ç'a-tu du bon sens, vouloir nuire à une gentille fille comme toi ! s'insurge maman, redevenue aussi sérieuse qu'avant. As-tu une idée de qui pourrait avoir étalé du pollen de pissenlit ici ?

— Non. Aucune idée...

— T'es sûre ?

— Certaine.

Je ne sais pas pourquoi j'ai le réflexe de protéger Victoria. Peut-être qu'il reste un peu d'empathie pour cette pauvre fille au fond de moi, ou peut-être ai-je simplement envie de régler mes problèmes toute seule ?

Après tout, nos histoires d'ados ne concernent que nous.

14

24 août, 6 h 45
Montréal, 34e jour de tournage (à moins d'un imprévu majeur...)

Maman est déjà debout à mon réveil, plantée devant l'immense et unique fenêtre du salon. Son regard se perd dans l'horizon ou plutôt, dans son absence. Elle a les yeux rivés sur un point imprécis, quelque part entre deux gratte-ciel. Dans un fatras de lignes verticales : le centre-ville de Montréal.

Où qu'on regarde, ici, nos yeux se butent à un mur, une surface de béton, une paroi vitrée... Je ne m'habituerai jamais à ne pas voir plus loin que l'immeuble voisin et ma mère non plus, je crois bien. Je le devine à son air mélancolique et à ses épaules voûtées.

Un mur invisible s'est érigé entre nous. Une paroi vitrée comme la façade de l'édifice en face. Fragile et transparente, mais bel et bien présente.

Ma mère se décide enfin à rompre le silence :

— Charlotte, grand-papa va pas très bien...

Elle fait une pause avant de poursuivre, la voix brisée :

— Il va très mal, en fait.

— Hein ! Comment ça ? Qu'est-ce qu'il s'est passé ?

— Il s'est cassé la hanche en tombant de son lit. Il a été conduit d'urgence à l'hôpital, le mois passé.

— La nuit passée, tu veux dire ?

— Non, Charlotte. Papi est à l'hôpital depuis trois semaines et demie, avoue-t-elle en plantant son regard dans le mien.

Je n'en crois pas mes oreilles.

— Mais... pourquoi tu m'as rien dit ?!

— Je voulais pas t'inquiéter avec ça. Je pensais qu'il en sortirait aussi vite qu'il est entré... Tu sais comme il est coriace, le vieux bougalou !

Elle trouve la force d'étirer les lèvres en un sourire las.

Je comprends mieux pourquoi elle était l'ombre d'elle-même, ces dernières semaines. Je la trouve vieillie. Son front est traversé d'un pli soucieux. Elle qui a toujours paru si jeune, c'est à croire que l'emprise du temps l'a rattrapée en un battement de cil.

Ça me fait tout drôle de la voir aussi vulnérable. Je ne saurais dire si ça m'attendrit ou si ça m'attriste, mais je n'ai pas l'intention de la ménager sous prétexte qu'elle fait un peu pitié. J'aurais tellement de choses à lui reprocher ! À commencer par son silence concernant ton hospitalisation...

— Je peux pas croire que tu m'as caché ça. J'ai quatorze ans, maman ! J'suis plus un bébé, au cas où tu l'aurais oublié. Je suis assez grande pour affronter les épreuves difficiles, t'sais ! Et au pire, si j'y arrive pas, aurais-tu au moins la décence de me laisser essayer pour que je reconnaisse mes forces et mes faiblesses ? Parce que j'ai pas l'impression que tu me rends service en me protégeant comme tu le fais ! Au lieu de me traiter comme une enfant, tu devrais m'encourager à devenir une adulte responsable. Je vais bientôt être une femme, faudrait que tu te fasses à l'idée !

Je reprends mon souffle, étourdie. Même ma mère est soufflée de se faire dire ses quatre vérités. C'est la première fois que j'ose lui tenir tête comme ça, mais je me sens tellement libérée que je ne peux pas le regretter. Au contraire. J'aurais dû le faire bien avant.

* * *

Maman a avisé la production qu'on partait plus tôt que prévu en raison d'une urgence familiale. J'étais censée tomber en congé pour une semaine à compter de demain, je ne rate donc qu'une seule journée de tournage, mais Yann doit être dans tous ses états. Ça m'embête un peu de le mettre encore une fois dans l'embarras, il m'a déjà dit combien le temps est compté et le budget, limité.

La productrice ne s'est sûrement pas gênée pour lui rappeler qu'aucun de ces ennuis ne serait arrivé s'il avait offert le rôle d'Alix à sa nièce, tel que prévu. Elle n'aurait pas tort.

D'ailleurs, j'en connais une qui doit être contente de s'être débarrassée de moi pour la semaine... Depuis l'histoire des pissenlits, l'horaire de Victoria a été remanié de façon qu'on se croise le moins souvent possible. Elle aura enfin la chance de tourner quelques scènes en mon absence. La chipie doit se réjouir d'avoir toute l'attention de Victor à elle seule. Mais c'est vraiment le moindre de mes soucis, maintenant que tu es souffrant, papi. Rien à foutre de la princesse des bécosses et de son prince charmant !

Bon, je ne m'en fous peut-être pas autant que je le prétends, sinon je n'aurais pas cherché à me venger pour le coup des pissenlits. Je me demande d'ailleurs si Victoria a découvert la lettre que j'ai laissée dans sa loge. Si je me fie à son nouvel horaire de tournage, elle ne serait pas censée la trouver avant demain, mais je ne serais pas surprise qu'elle aille flâner sur le plateau aujourd'hui... Cette fille n'a pas de vie ! Qu'importe. L'essentiel, c'est qu'elle lise la lettre prétendument écrite par Victor avant leur sortie au cirque, prévue pour jeudi.

Hey Victoria,

Juste pour te dire que pour le cirque, ça ne fonctionnera pas finalement. J'ai été invité à la première du film Roméo et Juliette *(tu sais, ils en ont fait un remake ?) et comme Charlotte et moi on est les têtes d'affiche d'*Une famille à l'envers, *les distributeurs du film aimeraient vraiment que ça soit elle qui m'y accompagne, qu'on soit vus ensemble devant les médias avant la sortie en salle. J'ai pensé que tu comprendrais !*

À+

Victor x

Ne reste plus qu'à espérer qu'elle tombera dans le panneau. Il suffirait qu'elle apprenne que je suis retournée sur la Côte-Nord durant ma semaine de congé pour que Victoria soupçonne un coup monté...

Seul le temps me dira si mon poisson a mordu à l'hameçon.

15

31 août 15 h 38
Les Escoumins (ou « Les secoue-mains », comme tu dirais en agitant tes mains dans les airs)

On a pris la route dès qu'on a pu, mais c'était quand même trop tard. On était presque rendues à Tadoussac quand tu nous as quittés, grand-papa. On était dans la file interminable pour prendre le traversier. Le téléphone a sonné et vlan, on s'est pris la nouvelle dans les dents. Tu as sûrement lutté très fort pour nous attendre. Te connaissant, tu n'aurais pas voulu partir sans nous dire au revoir, à maman et à moi...

La dernière fois que je t'ai vu, c'était juste avant mon départ pour Montréal. Ta mémoire te jouait des tours, tu as confondu maman avec sa sœur, ma tante Pascale (ça te revient, maintenant ?). C'est vrai qu'elles se ressemblent. Moi aussi, d'ailleurs, mais tu n'as pourtant eu aucun mal à me reconnaître. Tu étais tellement fier d'apprendre que ta petite-fille jouerait dans un film avec de grands acteurs !

Tu as toujours voué une grande admiration aux artisans du septième art. Tu les appelais « les faiseux de rêves » parce qu'ils te permettaient d'oublier, le temps d'une projection, les horreurs que t'a fait vivre la guerre.

Bien avant d'être un homme et un soldat, tu faisais du théâtre, tout comme moi. Je le savais déjà, tu m'en parlais souvent, mais ça restait toujours de l'ordre de l'abstrait parce que je n'avais jamais vu de photos. C'est comme si j'avais besoin d'une preuve visuelle pour me projeter dans cette époque lointaine que je n'avais pas vécue... Cette preuve, je l'ai enfin aujourd'hui, mais je n'en veux plus. Il est trop tard ; tu es mort. N'empêche que je ne peux détacher mes yeux de l'écran géant où sont projetées les photos de toi, mon aïeul, durant les funérailles. Je suis obnubilée par un cliché en particulier. Un cliché en noir et blanc représentant la troupe de théâtre dont tu faisais partie. On t'avait placé au centre, car tu étais le plus petit. Tu étais coiffé d'une auréole drôlement grosse pour ta tête et tu flottais dans ta grande toge blanche. Dans la pièce que vous présentiez ce jour-là, tu incarnais un ange.

Si ça se trouve, tu as repris ton rôle aujourd'hui.

Je m'accroche à cet espoir comme je m'accroche à mon bouquet de fleurs séchées. Tu disais souvent que les fleurs ne sont jamais aussi belles qu'une fois flétries. Qu'on devine alors leur âme à travers toutes leurs nuances de couleurs.

Grand-maman répliquait, à la blague, que ça ne l'empêcherait pas de prendre soin de son beau jardin !

Durant la cérémonie, je lis le texte que j'ai rédigé pour toi parce que maman insiste pour que je le fasse et que je n'ai pas l'énergie de refuser. Je dis oui du bout des lèvres ; il n'en faut pas plus pour que je me donne en spectacle devant une foule captive, les yeux humides. Tu étais un homme très apprécié dans la communauté, ils sont nombreux à s'être déplacés.

Moi qui déteste être le centre de l'attention, je voudrais me fondre dans les boiseries compliquées qui ornent les murs de la salle paroissiale. Je fonds plutôt en larmes dès les premiers mots de mon hommage.

On a beau se dire qu'ils sont âgés, que c'est normal, que la mort aussi, ça fait partie de la vie, on n'est jamais vraiment préparé à voir ses grands-parents partir. Même si j'ai toujours adoré mon grand-père, je ne pensais pas que son départ m'affecterait autant.

Et pourtant...

J'ai les larmes aux yeux chaque fois que je pense à lui, que je regarde sa photo, que je croise un vieil homme qui lui ressemble (et je peux vous dire qu'ils sont nombreux à lui ressembler, ces jours-ci). Ironie de la vie.

Mais je me console en me disant qu'il continuera d'exister à travers tous les souvenirs qu'on garde de lui.

Quand je pense à grand-papa, je revois le terrain de mini-putt qu'il improvisait dans la cour arrière de sa maison pour m'amuser, les après-midi d'été. Je pense à toutes ces fois où il a dû dormir dans la petite chambre parce que c'est MOI qui insistais pour dormir dans le grand lit avec grand-maman. Je nous revois en train de jouer au shuffleboard au camping Le Tipi, dans la réserve d'Essipit. J'imagine Capucine, la petite grenouille trouvée sur son bac de compostage, dont il me donnait des nouvelles, entre chaque visite.

Mon grand-père était un homme profondément généreux. Il s'est fait un devoir, et je dirais même un honneur, de donner à ses enfants et à ses petits-enfants ce qu'il y avait de mieux. Même s'il est parti, j'ai encore des milliers de souvenirs en tête et ça, ça n'a pas de prix.

Je t'aime grand-papa. Veille sur chacun de nous et sur grand-maman, surtout.

Charlotte, ta petite étoile

* * *

Plein de gens sont venus m'offrir leurs condoléances, mais je les écoutais d'une oreille distraite, sans même prendre la peine de les regarder. Je m'en voulais d'être impolie, mais je n'y pouvais rien, mon chagrin prenait toute la place.

Sans vouloir prêter de mauvaises intentions à tes amis ni sous-estimer ta popularité, papi, j'en soupçonne certains d'être venus me parler dans l'unique but d'approcher la « p'tite vedette » que je suis devenue. J'en ai surpris quelques-uns à chuchoter tandis que j'avais le dos tourné.

À un certain moment, j'ai senti une présence derrière moi. J'ai eu la sensation d'être épiée. Dès que je me suis retournée, je l'ai aperçue mais je ne l'ai pas tout de suite reconnue. On s'évitait depuis si longtemps, elle et moi. À force de détourner le regard quand je la croisais à l'école, je ne la voyais presque plus. Son souvenir avait pâli.

Elle s'est avancée, puis a murmuré :

— Je suis désolée.

Désolée pour ton décès ou pour les mots prononcés deux ans plus tôt ? Ça m'était égal, pourvu que ses mots soient sincères.

Ma meilleure amie n'a pas toujours été Raffie. Enfant, j'habitais aux Escoumins et je partageais tous mes fous rires et mes secrets avec une enfant de la « Rivière aux coquillages » (ou Essipit, en innu). Elle vivait dans cette réserve indienne, pas très loin de chez moi, et s'appelait Tina. On était inséparables, à un point tel que les gens nous appelaient les jumelles.

Puis, j'ai déménagé aux Bergeronnes, j'ai rencontré Raffie et j'ai oublié que j'avais une jumelle au teint hâlé, aux yeux sombres et rieurs. Jusqu'au jour de notre entrée au secondaire, quand j'ai réalisé qu'elle fréquenterait la même polyvalente que moi et que je l'ai stupidement ignorée... Elle ne s'est pas gênée pour me le reprocher, allant même jusqu'à me traiter de raciste, et je n'ai rien répliqué parce que je l'avais un peu cherché.

On ne s'était jamais reparlé depuis, c'est pourquoi j'ai du mal à croire que Tina se tient devant moi cet après-midi.

— Ça me touche que tu sois là, que je dis.

— Je m'en serais voulu de pas venir.

— C'est une belle surprise, en tout cas. Je m'y attendais vraiment pas.

Un silence s'installe entre nous, mais ça n'a rien d'embarrassant. Plus rien ne presse, après tout ce temps.

— J'aurais jamais dû couper les ponts avec toi. C'était stupide.

— Oh, tu sais, chez nous on dit que pour cultiver l'amitié entre deux êtres, il faut parfois la patience de l'un des deux. J'étais certaine qu'on finirait par se retrouver. J'aurais préféré que ce soit en d'autres circonstances, mais on choisit pas ces choses-là. Ça arrive, c'est tout.

Sa sagesse m'a attendrie. C'était plus fort que moi, j'ai eu le réflexe de la serrer dans mes bras pour la remercier de sa gentillesse. J'ai senti les muscles de ses épaules et de son dos se raidir, puis se relâcher tandis qu'elle s'abandonnait à cette étreinte spontanée.

À ce moment précis, j'ai regretté de l'avoir remplacée par Raffie. J'ai réalisé que l'amitié, ça ne se divise pas. Ça se multiplie.

Raffie et les membres de sa famille sont d'ailleurs venus nous offrir leurs condoléances, eux aussi... Alex était à couper le souffle dans son complet. Il avait l'air d'un homme, un vrai. Quand je lui ai demandé si j'aurais la « chance » de rencontrer sa copine bientôt, il a fait une de ces têtes ! À croire qu'il ne savait absolument pas de quoi je parlais. Raffie, qui avait été témoin de l'échange entre son frère et moi, est devenue livide et j'ai compris avant même qu'elle se justifie. Elle a voulu faire d'une pierre deux coups : m'inciter à oublier son grand frère pour que je tombe dans les bras de Victor (et qu'elle puisse dire à tout le monde que sa meilleure amie sort avec le bel acteur de *Poly-po-poli*). Enfin, c'est ce que j'ai déduit par moi-même, connaissant son obsession pour le vedettariat.

Je sais qu'elle n'a pas voulu mal faire, mais je ne peux m'empêcher de me sentir trahie.

Qu'importe. Je n'aurai plus à l'éviter très longtemps, car mon séjour aux Bergeronnes s'achève déjà.

C'est le cœur gros que je reprendrai la route pour Montréal demain matin. Je ne partirai pas sans avoir pu me recueillir un moment sur ta tombe, seule, pour te remercier d'avoir indirectement provoqué ces retrouvailles avec Tina. Et surtout, pour te promettre de me réconcilier avec tous les « faiseux de rêves » que j'ai pu offenser. Il n'en tient qu'à moi de considérer cette première expérience de tournage comme un apprentissage et de terminer ce film en beauté.

Je veux que tu continues à être fier de moi, où que tu sois.

16

1er septembre, 20 h 45
Montréal, 42e jour de tournage

On a roulé toute la journée et je m'apprête à tourner toute la nuit. J'aurais dû profiter du long trajet en auto pour dormir et récupérer des forces en prévision de ma nuit blanche, mais j'ai préféré répéter mon texte. Pas celui d'*Une famille à l'envers* (que je connais déjà par cœur), celui de ma tentative de réconciliation avec Victoria... Curieusement, la perspective de cette discussion me rend presque aussi nerveuse qu'une audition.

En discutant sur Facebook avec Victor, j'ai appris que la mère de Victoria est atteinte d'un cancer généralisé et que les médecins fondent peu d'espoir quant à sa survie. Je savais qu'elle était malade, mais je ne savais pas que c'était si grave. Je comprends maintenant pourquoi ma rivale est toujours à fleur de peau... Raison de plus pour faire la paix avec elle et lui témoigner mon appui. Quand on risque de perdre une personne aussi importante, on n'a pas besoin d'ennemi. Il y a bien assez de cette fichue maladie !

On arrive à Montréal juste à temps pour manger une bouchée et se rendre sur les lieux de tournage, dans l'est de la ville. C'est la première fois que je mets les pieds dans le quartier Hochelaga-Maisonneuve, je suis donc agréablement surprise d'apercevoir le Stade olympique et sa tour inclinée qui surplombe les commerces et les immeubles à logements. Je ne l'avais jamais vu d'aussi près.

On suit les flèches sur les panneaux jaunes pour repérer le camp de base, celles-ci nous conduisent jusqu'au sous-sol d'une église. Ça m'apparaît comme un signe du destin. Les gens sont forcément plus enclins à accorder leur pardon dans la maison du Seigneur. Depuis que tu es parti, grand-papa, je me surprends à recommencer à croire en Dieu. Un Dieu bien différent de celui décrit dans ces histoires bibliques de barbus en tunique, mais ça me console de croire en quelque chose d'infiniment grand.

Je me rends au CCM pour m'acquitter de la première partie de ma mission. Celle que je suis venue voir m'attend derrière un nuage de vapeur.

— Kate, je voulais te dire que je suis vraiment désolée de t'avoir fait travailler aussi fort pour les costumes d'Alix...

La costumière continue de défroisser la robe suspendue au cintre devant elle, le visage impassible. C'est bon signe ou pas ? Je ne me laisse pas abattre, sachant qu'il me reste encore ma meilleure carte à jouer.

— Pour me faire pardonner, je t'ai apporté un petit cadeau des Escoumins.

J'ai dit le mot magique. Cadeau. Elle relève la tête, intriguée, et dépose son défroisseur à vapeur pour me rejoindre et attraper la minuscule boîte que je lui tends. La sorcière n'est peut-être pas si rancunière, finalement.

Je file dans la cabine d'essayage avec le costume identifié au nom d'Alix sans attendre sa permission ni sa réaction. Quand elle aura goûté les délicieux chocolats au piment d'Espelette et au caramel fleur de sel de la chocolaterie belge Le Rêve Doux, Kate n'osera plus jamais avoir une dent contre moi (sinon une dent sucrée). Nul ne résiste à ce pur délice.

C'est au CCM que je trouve aussi Victoria, occupée à se faire poser ses fausses broches. Ça ne semble pas une partie de plaisir, à en juger par son nez plissé et sa moue de dégoût.

— C'est pas vrai que t'es laide avec tes broches...

Ce n'est pas tout à fait ce que j'avais prévu comme entrée en matière, mais c'est sincère. Ça prendrait bien plus que des stupides fils de métal pour enlaidir Victoria Belmont.

Je m'installe dans le fauteuil du coiffeur, à ses côtés, et me racle la gorge, hésitante. Ça me dérange un peu que Linda soit là, je ne m'attendais pas à ce que la scène de ma réconciliation avec Victoria se déroule devant public.

La maquilleuse devine mon embarras.

— Si vous avez des choses à vous dire, gênez-vous pas pour moi, les filles ! J'en entends des vertes pis des pas mûres dans mon métier et pourtant, je reste muette comme une tombe depuis vingt ans !

C'est n'importe quoi. Il n'y a pas plus mémère que Linda. Je la soupçonne même d'être responsable de la rumeur qui commence à circuler sur les infidélités répétées de Marc-Antoine Bibeau. L'ambiance est assez tendue sur le plateau. Pour une fois que ça n'a rien à voir avec moi... j'en tirerais une certaine forme de soulagement si je n'étais pas aussi désolée pour la grande et belle Émilie Chartier.

— Victoria, faut que je te dise, la lettre de Victor, qui disait qu'il voulait plus aller au cirque avec toi...

— Je sais, Charlotte, elle était fausse.

Sa réponse m'étonne et me soulage à la fois.

— Ah... tu le savais ? Mais je te jure ! Je m'intéresse pas du tout à Victor, pas une miette ! J'ai écrit ça parce que... parce que je t'en voulais d'avoir mis du pollen de pissenlit partout dans ma loge.

Victoria échappe aux mains de Linda pour venir se planter devant moi. Une rangée de broches décolle de ses dents. J'aurais trouvé ça drôle en d'autres circonstances, mais la situation me semble mal choisie pour rire.

— Non, moi je m'excuse, Charlotte. Surtout pour ce que j'ai dit à propos de ta mère. Ta mère est super correcte, au fond. Elle t'aime, t'sais. Pis... je t'ai trouvée bonne dans le rôle d'Alix chaque fois que je t'ai vue jouer. Tu le mérites, ce rôle-là ! Pis tant qu'à y être, je m'excuse pour la fois où je suis entrée pendant ton audition.

Wow. Si je m'attendais à une telle déclaration ! Sérieusement, je n'en demandais pas tant. Mon sourire doit parler pour moi puisqu'elle poursuit :

— Hum, Charlotte. Y a autre chose que j'aimerais te dire. Je suis vraiment désolée pour ton grand-père. J'ai su qu'il est décédé, j'ai vu la photo que t'as publiée sur Instagram. T'sais, j'ai vraiment essayé de t'écrire sur le coup, mais je trouvais pas les bons mots. J'avais peur que tu sois trop fâchée contre moi, je pense.

Encore une fois, je tombe des nues. Ainsi donc, cette fille a un grand cœur !

— C'est correct. Merci de me le dire. Ces choses-là se disent mieux en personne, de toute façon.

— Je suppose que oui.

J'expire d'un coup toute la pression accumulée ces dernières semaines dans un long soupir profondément libérateur.

— Je l'aimais vraiment beaucoup, mon grand-père. C'était quelqu'un de spécial. On dirait qu'il voyait pas la vie comme tout le monde. Un peu comme toi... au fond.

— Comme moi ?

— Oui ! T'sais... t'es pas toujours facile à suivre, Victoria, mais je trouve que, ben... que t'es spéciale.

Elle me remercie, visiblement touchée par le compliment. J'ose un timide :

— Bon... on est des genres d'amies, là ?

Ma remarque lui arrache un demi-sourire. Pas de quoi crier « VICTOIRE ! », mais il y a de l'espoir. Victoria fait mine de considérer ma proposition et pourtant, j'ai l'intuition que cette idée lui avait déjà traversé l'esprit avant aujourd'hui.

— Mettons que j'irai plus mettre des pissenlits dans tes affaires, c'est déjà ça !

— Et moi, des fausses lettres dans les tiennes !

Je ris, soulagée par la tournure des événements. Un proverbe amérindien me revient en mémoire. « Ne coupe pas les ficelles quand tu peux défaire les nœuds», c'est ce que Tina m'avait dit au lendemain d'une dispute plutôt banale, il y a bien longtemps. Ces paroles (qui ne le sont pas, banales) me confirment que j'ai bien fait de chercher à «dénouer les ficelles» avec Victoria.

Je me permets même de la taquiner:

— À ta place, je retournerais voir Linda. Pas sûre que Yann trouverait ça ben beau, ta demi-rangée de broches à la caméra!

Elle m'offre un sourire narquois avant de retourner s'asseoir à la chaise de la maquilleuse.

Plus je la côtoie, plus je réalise qu'on se ressemble, elle et moi. Deux orgueilleuses qui s'ignorent.

17

9 septembre, 20 h 47
Montréal, 49e (et dernier) jour de tournage

Treize minutes. C'est plus ou moins le temps qu'il me reste avant d'avoir à vivre le deuxième deuil de ma courte existence.

Je me relève à peine de ton décès, et me voilà sur le point d'assister à la mort brutale d'un personnage auquel je me suis attachée : le frère d'adoption d'Alix, Hugo Meunier. Celui qui a su redonner goût à la vie à mon personnage finira malheureusement par succomber à sa pire dépendance. La drogue.

La surdose fatale d'Hugo Meunier est prévue pour 21 h.

On tourne dans une ruelle en équipe réduite : les acteurs (Victor et moi), le réalisateur, la script-éditrice, la régisseuse, la maquilleuse, le coiffeur, le perchiste, le sonorisateur et un caméraman. C'est étrangement calme sans le brouhaha de l'équipe technique, mais je n'ai pas trop le loisir de me réjouir puisque je dois déjà me mettre dans l'ambiance de la dernière scène (et non la moindre).

C'est à peine si on la répète avant d'aller s'installer sur le plateau pour une première prise.

Yann nous recommande de faire une italienne ou deux, histoire de pratiquer notre texte sans trop se fatiguer. On suit donc son conseil en enchaînant rapidement nos répliques sans émotion ni aucune intention dramatique ; le principe même de la répétition à l'italienne.

Victor porte une robe de chambre pour camoufler sa nudité en attendant que la caméra commence à tourner. Le front barré d'un pli soucieux, Yann consulte son jeune acteur d'un regard étonnamment tendre, presque paternel, et je vois Victor hocher la tête pour confirmer qu'il est prêt... J'envie leur complicité, même (et surtout ?) dans les moments empreints de gravité. J'ai le sentiment que ces deux-là vont continuer à travailler ensemble très longtemps.

Mon partenaire de jeu se résigne enfin à retirer sa robe de chambre, puis son caleçon. Il se tient la tête haute, le dos droit, comme s'il n'y avait rien de plus naturel qu'être flambant nu au beau milieu d'une ruelle sombre. Je pourrais me rincer l'œil – ce n'est pas tous les jours qu'on peut voir Victor Beauregard dans son plus simple appareil ! –, mais la pudeur me force à baisser les yeux vers mes pieds croches. Même dans mes rêves les plus fous, je n'aurais jamais pu concevoir que le premier homme à se dénuder devant moi serait le bel acteur de *Poly-po-poli*...

Le moment serait sans doute moins malaisant si nous n'étions pas amis. Je tente de dissimuler mon embarras tandis qu'on se place en première position, fin prêts à tourner. C'est le silence total sur le plateau jusqu'à ce que Yann crie « Action ! ».

Malgré la pénombre, je vois Victor se mettre en mouvement. Il titube péniblement en s'appuyant au mur de la ruelle pour éviter de tomber. En vain. Hugo Meunier perd l'équilibre et plonge tête première au sol.

C'est à moi de jouer. Alix accourt auprès d'Hugo avec l'horrible pressentiment que son frère d'adoption a commis un geste grave. Irréparable. Je ressens la peur d'Alix comme si elle était mienne. Je me surprends à haleter bruyamment.

— Qu'est-ce que t'as pris ?

Aucune réaction. Le corps étendu à mes pieds est mou comme de la guenille.

— Hugo, criss, je te parle ! Qu'est-ce que t'as pris ?

Le junkie réagit enfin :

— Quoi... ?

À ce moment, Alix est censée le secouer brutalement pour le ramener à la réalité, mais je ne peux me résoudre à le brutaliser, alors je me contente de lui donner de petites poussées.

— Hugo... ?!!

— Je sais plus. Je... Je... Ça, je pense. Ouin.

Il brandit avec peine un sachet vide.

— C'est quoi, ça ? Ce que t'as pris ? Le sac que t'a vendu Christian ? Dis-moi que t'as pas tout sniffé ça, Hugo ?

Il retombe dans les vapes, tellement convaincant que j'y croirais, si ce n'était la proximité du perchiste et du caméraman, penchés au-dessus de nous.

— Criss, Hugo, réponds-moi ! T'as pris tout ça ?!

— Peut-être.

Il se met alors à se convulser dans une série de spasmes dignes d'une crise d'épilepsie. Alix panique de plus belle :

— T'es donc ben cave !!! Pourquoi t'as fait ça ? Tu le sais, que je t'aime !

Victor simule un nouveau spasme. Violent. Crève-cœur.

— Je t'aime, criss ! Arrête de te détruire, sacrament ! Arrête !! Arrête de shaker ! Arrête !! Moi, je sais pas quoi faire ! On m'a pas appris à gérer ça ! C'est trop tough, ce que tu me fais là... S'il te plaît, arrête. Je sais pas comment te soigner, moi, là. Pis je veux pas avoir ta mort sur la conscience ! J'ai déjà assez de la mienne !

À le regarder trembler ainsi, les yeux révulsés, la bouche crispée en une grimace peu flatteuse, on n'a aucun mal à le croire intoxiqué au point d'en crever. Je lève la tête et balaie le stationnement d'un œil désespéré. Je pousse une plainte étouffée, une sorte de grognement guttural dont je ne me savais pas capable.

— Y a personne dans le parking... Allllô ! Criss, vous êtes où, les bons Samaritains, quand on a besoin de vous !? Hein ? On a besoin d'aide !!! 911, quelqu'un ?

Je sens les larmes ruisseler sur mes joues tandis que je suffoque, prise d'un hoquet qui n'a rien d'élégant. Dans mes bras, Hugo/Victor ne réagit toujours pas, alors je resserre mon étreinte en murmurant d'une voix semblable à celle que prenait maman pour apaiser mes terreurs nocturnes et mes tristesses d'enfant :

— Arrête, mon frère, arrête pis ça va bien aller. Chut ! Tout va bien aller, Hugo.

Je voudrais y croire, mais Yann Thomas, lui, n'a pas prévu un dénouement très heureux pour les protagonistes d'*Une famille à l'envers*. Ils finissent tous aussi à l'envers qu'ils l'étaient au début, sinon plus. La scène finale laisse présager une nouvelle spirale infernale...

Si seulement Hugo pouvait s'en tirer.

Ç'aura beau n'être que de la fiction, ce destin tragique vient directement me chercher. Mon partenaire de jeu est criant de vérité lorsqu'il prononce l'ultime réplique avant son dernier souffle :

— Trishia, c'est toi ? Trishia ? Oui ! Alix... C'est-tu moi ou toutes les étoiles s'allument dans le ciel ?

Je regarde Victor feindre de s'éteindre, et ça me semble si réel que je hurle son nom à m'en brûler les poumons. Comme si mon cri avait le pouvoir de vie ou de mort. Comme s'il pouvait empêcher Hugo de mourir et le film, de finir.

Une fille peut bien rêver.

* * *

On a tourné deux autres prises en se donnant toujours plus chaque fois. La troisième prise était si intense que Victor s'est blessé au bras. Par chance, c'était la bonne. D'une voix tremblante d'émotion, Yann a annoncé que c'était un « wrap ». Sur le coup, je me suis demandé ce que le rap venait faire là-dedans, puis j'en ai déduit que, dans le jargon du cinéma, ça signifiait que le tournage d'*Une famille à l'envers* était officiellement terminé.

Victor s'en tire avec une profonde entaille au coude et moi, avec le cœur bien amoché. Ma deuxième famille va drôlement me manquer.

J'ai du mal à croire que c'est déjà fini. Que cette aventure est derrière moi, ou presque. Demain, je pourrai enfin rentrer aux Bergeronnes, retourner à ma petite routine et... à l'école.

Les cours sont commencés depuis deux semaines, déjà, mais je préfère vivre dans le déni les dernières heures qu'il me reste à passer ici. Dans cette bulle que je me suis créée à Montréal, je me suis un peu déconnectée de la réalité, mais la vie réelle finira bien vite par me rattraper.

J'ai l'impression de rompre avec un amour d'été.

Une passion vite consommée, vite oubliée ? Je ne crois pas. Cette expérience de tournage m'a transformée, j'en ai la certitude. Je ne serai plus jamais la même après avoir prêté mon visage et ma voix à la bouleversante Alix ; après avoir côtoyé tous les jours des acteurs de grand talent et séjourné dans la métropole durant deux mois, bien loin de mon cher patelin.

Sans dire que je suis devenue une vraie citadine, j'avoue avoir pris goût à cette agitation typiquement montréalaise, à l'effervescence de sa vie culturelle, à cette nouvelle sensation de liberté. Maman commençait enfin à respecter mon désir d'indépendance et à me permettre de sortir en ville avec Victor et Victoria...

J'aurais encore tant de choses à vivre ici, mais je dois déjà partir en laissant mes nouveaux amis derrière moi. Et comme je n'ai toujours pas rencontré le facteur ni le boucher, je ne pourrai prétendre que je suis familière avec le coin sans me faire contredire par la logique implacable de mon père.

Raison de plus pour revenir à Montréal à la première occasion.

ÉPILOGUE

Ça y est, l'histoire s'achève... Je pourrai bientôt arracher les pages de ce cahier et les disperser dans la Rivière aux coquillages, mais j'attendais ce moment : l'instant magique où ta petite étoile se donnerait enfin le droit de briller...

5 mars, 19 h 51
Montréal, cinéma Excentris

Le boulevard Saint-Laurent ne m'a jamais paru si lumineux. J'aime penser qu'il scintille de mille feux juste pour moi. Pour fêter mon retour en ville.

Ce soir, je visionnerai *Une famille à l'envers* pour la première fois, en même temps que l'équipe de tournage, les critiques, les journalistes ainsi que les chanceux ayant gagné des laissez-passer pour assister à notre grande projection médiatique. Inutile de dire que je suis surexcitée.

Je foule le tapis rouge en espérant ne pas me fouler une cheville. J'aurais dû écouter la petite voix qui me disait que des talons aussi hauts pour un événement aussi médiatisé, c'est un suicide social et professionnel assuré. Mais j'ai préféré suivre les conseils de ma nouvelle amie,

Miss Belmont, qui a bien plus l'habitude des soirées mondaines que moi.

Tous les acteurs d'*Une famille à l'envers* sont réunis : Victor, le petit Mathieu, Émilie, Marc-Antoine et moi. Il ne manque que Victoria.

Depuis la fin du tournage, on s'écrit tous les jours ou presque. Ça peut paraître surprenant, compte tenu de notre « historique », mais ces échanges virtuels quotidiens avec mon ennemie-devenue-amie me font énormément de bien. À elle aussi, je crois. Il lui arrive parfois de se vider le cœur en me racontant la progression du cancer de sa mère. Maintenant qu'elle a été transférée aux soins palliatifs, ses chances sont passées de quasi nulles à néant. Victoria doit donc se préparer à perdre sa maman...

Elle m'a envoyé un texto, quelques minutes plus tôt. Ça disait : « Salut vous deux. Juste pour dire que je pense à vous. Vous devez être en train de boire du champagne et de manger des canapés de snobs (genre caviar, eurkkk !). Moi je mange de la pizza extra-fromage avec mes parents en écoutant *Une famille à l'envers* en DVD ! Mon père est rentré du Soudan ! Je sais que je devrais être triste en ce moment et vous allez peut-être trouver ça bizarre, mais là, à 19 h 48, je pense que je suis heureuse. J'ai hâte de vous raconter. Bonne première ! Vic xxx »

Je serais prête à parier que Victor a pris le message en même temps que moi, à voir le sourire ému qu'il adressait à son téléphone, comme si Victoria était là, en personne.

Je lui ai répondu en vitesse : « Pas de champagne pour moi, j'ai déjà assez de mal à garder l'équilibre sur les escarpins que tu m'as prêtés ! Ce Louboutin est un sadique !!! Tu lui diras, si jamais tu le croises... À 19 h 50, je suis : 1) très triste que tu manques la première, mais 2) trop contente de savoir que tu es heureuse. Bonne pizza extra-fromage ! Bon film en famille ! À très bientôt, Charlotte xxxxx »

J'ai mis plus de becs à mon texto parce que j'ai senti qu'elle avait besoin de réconfort. Moi qui ai tant souffert de ton départ, papi, je n'ose même pas imaginer comment on se sent lorsqu'on s'apprête à perdre sa mère. La mienne est possessive, anxieuse et étouffante, certes, mais je ne la changerais pour rien au monde.

Mes yeux se posent brièvement sur Victor, puis sur ses parents, venus l'encourager. Je suis ravie de constater qu'ils ont repris contact avec leur fils, et que les choses semblent enfin s'être tassées. Mon regard s'attarde sur mes propres parents, droits et fiers de me voir fouler le tapis rouge. Jamais ils ne me trahiraient. Ma petite fortune est en sécurité avec eux, j'en ai l'intime conviction.

Depuis la fin du tournage, j'ai reçu plusieurs offres alléchantes pour jouer dans des films ou des séries télévisées. On m'a même proposé de devenir la nouvelle porte-parole de l'Association québécoise de prévention du suicide. Mais j'ai tout refusé, de la première à la dernière offre. Non pas par manque d'intérêt ou par snobisme, simplement parce que je ne me sentais pas encore prête. Le tourbillon médiatique des derniers mois est venu confirmer ce que j'avais pressenti : je manque encore de maturité et de confiance en moi pour plonger tête première dans le showbiz québécois. Il me reste encore une foule de choses à expérimenter avant de songer à faire carrière au cinéma. Je ne voudrais tout de même pas passer à côté de mon adolescence comme tant de jeunes acteurs l'ont fait avant moi. Victor a d'ailleurs été de bon conseil, à ce sujet. C'est lui qui m'a suggéré de laisser la poussière retomber, histoire de découvrir ce que j'ai vraiment envie de faire.

Pour être franche, j'ai déjà une idée assez précise de mes projets d'avenir. Ou devrais-je dire de « nos » projets, car Raffie aussi en fait partie. Dès qu'on aura fini le secondaire, dans deux ans et demi, on compte s'inscrire en théâtre au cégep et emménager ensemble à Montréal. J'espère ensuite convaincre Marie-Ginette, l'agente artistique de Victor et Victoria, de s'occuper de notre carrière. On y pense jour et nuit. C'est encore loin, mais on prend notre mal en patience, sachant que nos rêves finiront bien par se concrétiser.

À propos de rêves patients, Alex est toujours célibataire et, à voir la façon dont il me regarde ce soir, je devine qu'il ne me considère plus tout à fait comme sa petite sœur...

Je suis profondément émue que la famille Di Salvio ait fait toute cette route pour me féliciter (et pour voir le film en grande primeur, bien sûr). Même madame Sylviane, notre prof de théâtre, s'est déplacée pour l'événement. Je suis comblée !

On finit par entrer dans la salle de cinéma, l'équipe de tournage d'abord. Je m'assois dans le fauteuil qui m'a été assigné, entre Victor et le petit Mathieu, qui semble très nerveux. La fébrilité de mes collègues est palpable. Victor me prend par la main, mais je réalise que c'est Yann qu'il regarde, trois sièges plus loin. Il l'observe avec une telle intensité que j'en viens à me questionner sur la nature de ses sentiments pour notre réalisateur et à douter de cette complicité virile que j'avais toujours prise pour de l'amitié. Se pourrait-il que Victor soit... gay ?

Ça expliquerait bien des choses.

Mais je ne crois pas qu'il soit prêt à en parler et franchement, je le comprends de vouloir tenir cette information sous silence. Qu'il soit homosexuel ou hétéro, ça ne concerne que lui. J'aime mon ami comme il est, peu importe son orientation sexuelle. J'espère juste que Victoria ne continuera pas à se faire des illusions à son sujet...

Le film commence. Je concentre toute mon attention sur l'écran géant pour oublier les battements frénétiques de mon cœur et faire taire mon angoisse. Je suis impatiente de voir les résultats de notre travail, mais ne suis pas tout à fait prête à voir mon nez en pente de ski et ma face de bébé sur grand écran...

Contrairement à ce que je croyais, le film éclipse mes complexes. Je m'oublie totalement pour me fondre dans l'histoire et revivre l'évolution psychologique d'Alix jusqu'à la dernière scène, la dernière seconde.

Le générique défile ; la boucle est bouclée. Les larmes roulent sur mes joues. Je suis soufflée, bouleversée.

Yann me rejoint après la projection pour connaître mes impressions.

— Et puis ? Comment t'as trouvé ça ?

— Honnêtement ?

Il acquiesce, la pupille dilatée, prêt à encaisser la critique. Je grimace un peu pour titiller sa curiosité.

— Si y avait pas ma face dans trois quarts des scènes, je te dirais que c'est le meilleur film que j'ai vu de toute ma vie !

Il sourit en me dévisageant drôlement.

— J'espère que t'es disponible en mai.

— Euh, j'ai rien de prévu, à part l'école. Pourquoi ?

— Y a rien d'officiel encore, mais... notre film a de bonnes chances de faire partie de la sélection au Festival de Cannes.

Il a bien dit notre film. Au Festival de Cannes. Oh mon Dieu !

— C'est une blague ?! que je demande, les yeux écarquillés.

— Non, non. Je suis sérieux.

Et il se met à rire, pour se contredire.

— Je veux faire découvrir la Perle rare de la Côte-Nord au monde entier !

Moi, en Europe ?

Cette fois, Raffie en crèverait assurément de jalousie. À moins que je lui paie le voyage ? Être la tête d'affiche d'un film comporte bien certains avantages.

Et justement, parlant du loup...

— C'était qui la brunette à qui tu parlais tantôt ? s'informe Yann, l'air de rien.

— Ma meilleure amie, Raffie. Euh, Raffaella Di Salvio.

— Elle est italienne ?

— Oui, pourquoi ?

— Je cherche des jeunes comédiens d'origine italienne pour jouer dans un nouveau projet sur la première vague d'immigration au Québec... Elle a une beauté intemporelle, me semble que je l'imaginerais bien dans mon drame historique.

Moi, je l'imagine hystérique... J'ai tellement hâte de lui annoncer la nouvelle !

Si la tendance se maintient, on pourrait bien devancer nos plans d'avenir, tout compte fait.

FIN

Merci aux Bergeronnaises et aux Bergeronnais pour vos sourires et votre accueil chaleureux. Si j'ai pu insuffler ne serait-ce qu'une infime parcelle de votre joie de vivre à ma Charlotte, j'aurai alors relevé mon défi !

Sur le plateau d'*Une famille à l'envers*, Victoria et Victor ont aussi connu des hauts et des bas... Pour découvrir ces personnages, et connaître leur version des faits, lis aussi *Victoria* et *Victor*.

VICTORIA

Un extrait du roman de Stéphanie Lapointe

6 juin, 15 h 44
Ascenseur chez Télégénik

— C'était pas super cool ce que t'as fait tantôt, Victoria.

Victor se tient à côté de moi dans l'ascenseur. Je n'ose pas me tourner vers lui, ça m'est physiquement impossible. Même si j'ai survécu à cette horrible audition - je n'ai pas oublié mon texte, comme je le craignais, mais j'ai été ARCHI-MOCHE, j'en ai la conviction -, je ne survivrai pas à un seul autre regard réprobateur de Victor ! J'observe les chiffres du tableau de l'ascenseur qui se trouve au-dessus de ma tête descendre au fil des étages, à l'image de mon moral qui dévale. J'essaie d'avaler le peu de salive que j'ai dans la bouche, mais j'ai la gorge rêche, du papier sablé. Je cherche à gagner du temps, pour trouver les mots. Les bons mots. C'est toujours ce que les acteurs de cinéma font dans les scènes dramatiques - prendre une pause grave et avaler un bon coup -, mais c'est complètement inutile : j'en suis la preuve vivante ! J'ai beau avaler, avaler, rien de particulièrement intelligent ne me vient à l'esprit.

— Je sais, j'ai plus trop les idées claires depuis que ma mère est malade.

Bon, fallait que je ramène le cancer (toujours le cancer).

J'ai un peu honte de le dire, mais Victor semble ébranlé. Du coin de l'œil, je remarque que ses lèvres me renvoient quelque chose qui ressemble à un sourire. Un sourire triste, empathique. Le sourire le plus virilement mignon que j'aie vu (ou imaginé) de ma vie. C'est au tour de Victor d'avaler de travers comme dans une scène dramatique.

— Ça va, ta mère ? Je veux dire, je sais que ça va pas super, mais dans les circonstances...

— Ben, elle a un rendez-vous chez son médecin demain pour avoir les résultats de ses derniers tests. Ses cheveux vont commencer à tomber bientôt, y paraît. Mais ça devrait pas paraître trop, trop, elle va s'acheter plein de perruques.

— Hum, y font des belles perruques de nos jours, ça devrait aller.

On se tait. Victor a cette manie de se gratter le derrière de l'oreille quand il est gêné. Ça me fait plaisir de sentir que Victor est gêné à mes côtés, ça veut peut-être dire qu'il me trouve un peu jolie. En tout cas, ça veut sûrement dire qu'il ne me déteste pas complètement à cause de l'incident de tantôt. Et ça me suffit. Je regarde nos reflets dans les portes de l'ascenseur. On est beaux à voir, tous les deux. Victor a très exactement une tête de plus que moi en grandeur. C'est juste assez. C'est parfait. Je nous imagine bien dans dix ou vingt ans tous les deux, quand je serai devenue une vraie femme. Oui parce que quatorze ans est un âge ingrat, tout le monde sait ça. Depuis quelques mois, je suis gravement complexée par mes seins. Maladivement. Je suis un gros cliché ambulant! Je sais bien que toutes les filles de mon âge sont insatisfaites de leur poitrine. Ça n'a rien d'original. Mais dans mon cas, c'est différent. Je ne trouve pas mes seins trop petits, trop pendants ou même trop gros: je les trouve simplement trop ABSENTS! Je n'ai jamais rêvé d'une poitrine à la Dolly Parton (c'est une chanteuse américaine de country reconnue pour ses seins démesurés), mais je trouve totalement injuste que cette partie de mon corps ait oublié d'avoir sa puberté.

Si je n'étais pas si complexée, peut-être que je trouverais le courage de m'approcher de Victor avant que les portes de l'ascenseur ne s'ouvrent, peut-être que je trouverais le courage de l'embrasser follement, éperdument! C'est souvent dans un ascenseur que les gens s'embrassent dans les films, non? Alors, sans réfléchir, je fais un petit pas vers Victor. Un pas de souris, mais quand même. Ma main gauche frôle maintenant sa main droite. Un demi-centimètre me sépare de Victor, de sa main, de la dizaine de petites veines bleues qui la parcourent, comme un labyrinthe débouchant sur ses bras, puis vers son cou. Ses bras juste assez musclés, mais pas trop, son cou à l'odeur vanillée, son cou basané à longueur d'année. Dans ce lieu à fort potentiel érotique, ce demi-centimètre est un Grand Canyon à lui seul. Un Grand Canyon infranchissable.

Les portes de l'ascenseur s'ouvrent.

— Bye Victoria, qu'il me dit en m'envoyant la main, sans se retourner.

J'essaie d'avoir l'air détaché, mais sa capacité à s'éloigner de moi si facilement me tétanise.

— Hum, c'est ça, bye.

Victor s'éloigne.

Avec lui, l'odeur vanillée.

Le demi-centimètre se transforme en mètre, en kilomètre.

VICTOR

Un extrait du roman de Simon Boulerice

Montréal, 5 juillet
INT. – APPART DE VICTOR – JOUR

Mon enfance est révolue. Ça remonte à si loin, le moment où je frottais vigoureusement ma gomme à effacer sur mon jeans avant de la poser sur la peau de mon bras, juste pour ressentir encore la sensation de brûlure, et me prouver que mon avant-bras était assez résistant pour éteindre une cigarette. Ça remonte à si loin, aussi, le moment où, trop impatient pour attendre la guérison totale d'une plaie, j'arrachais la gale. On a tous fait ça, gamin. Certains ont continué. Pas moi. Je fais les choses comme un adulte. J'attends la cicatrisation totale. C'est du moins ce que je me dis quand je regarde la fraîcheur de Charlotte. Elle doit être du genre à arracher ses gales, elle.

— C'est comment, être célèbre ?

Elle pose la question sans trace d'envie. Dans sa voix, il n'y a qu'une belle curiosité, mâtinée de naïveté.

— C'est correct. Ç'a du bon et du moins bon.

— Le bon, c'est quoi ?

— Le sentiment d'être important, tout le temps.

— Et le moins bon ?

— Se croire plus important que les autres.

Je réponds ça du tac au tac, sans réfléchir. Il y a du vrai dans ce que je viens d'avancer, mais ce n'est pas complet, comme réponse. Je prends un moment avant de revenir à la charge.

— Ça, et l'obligation d'être toujours en représentation. Tu peux jamais être totalement toi-même, parce que tu te sais scruté, dévisagé. Des fois, c'est bon pour l'ego. Mais des fois, ça épuise. Oui, le regard des autres sur soi, non-stop, ça épuise.

Charlotte hoche la tête, comme si elle comprenait. Mais j'en doute. Elle ne sait pas ce que c'est que de prétendre constamment être ce qu'on n'est pas. Cette fille est la spontanéité incarnée. Elle est lumineuse, et c'est la raison pour laquelle on la remarque. Elle n'a qu'une chose à faire pour plaire : être elle-même. Je l'envie.

C'est bel et bien elle qui a décroché le rôle. Yann a été réceptif à l'évidente chimie qui opérait entre nous deux. Cet après-midi, nous lisons nos scènes, chez moi. Assis en indien dans mon lit, j'offre l'unique chaise de mon appart à mon invitée, qui ne tient pas en place. Elle se lève, parcourt les titres des livres (tous classés par ordre alphabétique) qui tapissent la plinthe de mes murs. Je l'entends ponctuer ses découvertes à demi-mot. Des « Oh, je connais pas... », des « Oh, ç'a l'air bon ! », des « C'est fou comme tu lis ! » et des « T'es vraiment un gars brillant, toi ! C'est clair ! ».

Quand elle redépose finalement ses fesses sur ma chaise à roulettes, Charlotte tournoie comme une enfant sur un siège du McDonald, l'air de penser que la liberté, c'est de tournoyer en furie sur une chaise d'ordinateur.

— Comment c'est venu dans ta vie, l'envie de jouer ? me demande-t-elle.

— C'est venu par le karaté.

— Hein ?

— Quand j'avais cinq ans, mes parents m'ont inscrit à des cours de karaté. J'avais besoin de discipline, je pense. J'étais pas mal doué. J'avais beaucoup de mémoire, de la souplesse... À un moment donné, une agence de casting est passée par mon école de karaté. On cherchait un enfant capable de faire des katas impressionnants dans une pub de pharmacie. On m'a remarqué. On m'a offert le rôle. J'ai aimé ça, me faire dire que j'étais bon pis *cute*. Donc j'ai continué à en faire.

— De la télé ou du karaté ?

— Les deux. Héhé. La rigueur des arts martiaux m'aide à exercer mon métier de comédien.

C'est vrai que la discipline acquise par mes cours m'est utile tous les jours. J'ai appris à me modérer, me retenir, ne rien laisser paraître. Je peux bouillir de l'intérieur, trembler de peur ou vibrer de désir, et je suis capable de tout contenir ça. Les arts martiaux, c'est mon salut. J'ai arrêté le karaté. Maintenant, je fais de l'aïkido. C'est ce que je dis à Charlotte.

— C'est quoi la différence ?

— En gros, le karaté, c'est une discipline où on frappe avec nos pieds et nos poings. On apprend à attaquer. À bloquer aussi, mais surtout à attaquer. À l'opposé, l'aïkido, c'est une discipline sans frappe. On travaille juste sur la défense. Ça me ressemble plus. Je suis un être pacifique.

— Ça paraît, me dit Charlotte en riant.

Nous lisons nos scènes. La justesse dans le jeu de ma partenaire est toujours au rendez-vous. Je la regarde de biais pendant qu'elle lit et je me dis que si elle s'avère aussi rigoureuse et professionnelle sur un plateau de tournage, elle est promise à une belle carrière. Et comme je me fais cette observation, je me sens soudainement comme un vieil acteur, fort d'une cinquantaine d'années d'expérience.

La jeune comédienne quitte mon appart une heure plus tard. Je l'observe, depuis la fenêtre. L'enfance n'a pas encore totalement déserté Charlotte. Le claquage de ses gougounes sur l'asphalte en fait foi.

DISTRIBUTION EN AMÉRIQUE DU NORD
Les Messageries ADP inc.*
2315, rue de la Province
Longueuil (Québec) J4G 1G4
Tél. : 450 640-1237
messageries-adp.com
*filiale du Groupe Sogides inc.,
filiale de Québecor Média inc.

DISTRIBUTION EN EUROPE
Librairie du Québec / DNM
30, rue Gay-Lussac
75005 Paris
Pour les commandes : 01 43 54 49 02
direction@librairieduquebec.fr
librairieduquebec.fr

Cet ouvrage a été achevé d'imprimer au Québec
sur les presses de Marquis Imprimeur
le dix mars deux mille quinze
pour le compte des Éditions de la Bagnole.